時空 遊學團 ❷

穿越畫世界

U0022995

唐希文 著

時空遊學團

童遙

暱稱：遙遙、成語小姐
班級：五甲班
強項：通曉多國語言
個性：活潑開朗、充滿
　　　自信、勇於冒
　　　險，但有點自我
　　　中心，偶然會耍
　　　小手段

童樂

暱稱：小樂、嗚嗚小弟
班級：三乙班
強項：精通多種樂器
個性：心地善良、富正
　　　義感，但缺乏自
　　　信心及冒險精
　　　神，十分依賴別
　　　人照顧

藍星宇

暱稱：藍師兄
班級：六甲班
強項：修理電腦及電器
個性：樂於助人、適應
力強，隨時隨地
都能入睡，自覺
是隊中最成熟可
靠的人

張月靈

班級：六甲班
強項：攝影、繪畫、勞
作
個性：笑容甜美、待人
親切

程子仁

班級：六丙班
強項：數學、量子物理
學
個性：外表高傲、冷漠
孤僻，嘴巴不饒
人

目錄

第一回

梵高是個老奶奶？

「嗚—嗶—嗶—」隨著童樂一聲驚呼，他的身體急速下墜，叫聲都被吸進了空氣中。

他很想大叫救命，但那陣離心力太厲害了，嚇得他幾乎**魂不附體**，根本無力發出其他聲音。

砰嘭！**從天而降**的他結結實實地撞到地上。他還來不及喊痛，上面忽然有東西掉下來，重重地壓住他的身體，令他動彈不得。

「小樂，你在哪兒？」頭上傳來姊姊童遙的聲音。

童遙掙扎著想爬起來，不斷凌空晃動著雙腿，好幾次踢到童樂的臉。

我快要被你壓扁啊！童樂正想回答，身上又傳來一股猛力的撞擊，把他剛張開的嘴巴擠成一條縫。

「痛死人啦！」童遙發出淒厲的慘叫，「快給我走開！」

這次是程子仁跌進她的懷中，她猛力一推，程子仁就這樣直接跌落地面。

與此同時，童遙終於發現弟弟就在最底層，趕忙

把他拯救出來。

「噢！姊姊你……你……中毒了啊！」童樂一臉**惶恐不安**，「你整張臉都是黑色的！」

「我沒有中毒，那些是爐灰。」她一邊用手抹著臉，一邊冷靜地回答。

原來這次時光機的降落地點是一個大壁爐，爐中殘留著不少黑炭和灰燼，把他們弄得**灰頭土臉**。

幸好爐裡並沒有點火，否則後果**不堪設想**，他們可能已變成烤豬了。

「糟糕！這次一定被媽媽罵慘了！」童樂不斷拍著恤衫上的爐灰。

為了配合降落時空的衣著文化，兩姊弟特地穿上家中最漂亮的洋裝，此刻都變得髒兮兮的。

地上的程子仁一直沒說話，面孔朝下，一動也不動。

「你怎麼了？」童遙走過去用手指輕輕戳他的背。

童遙把他的身體扳了過來，只見他閉著眼睛，黑炭般的臉沒一絲表情，就像一具沒有生命的人偶。

「喂！你快起來！別嚇人呀！」

童遙伸手探他的鼻息，竟然沒有了呼吸！

「子仁哥哥⋯⋯他是⋯⋯『撞裂』犧牲了嗎？」童樂**哭喪著臉**問她。

此情此景，童遙沒心情解釋「*壯烈犧牲*」的正確意思，只是怔怔地看著自己雙手，感到**後悔莫及**。

「子仁哥哥⋯⋯對不起⋯⋯都怪我這對罪魁禍『手』⋯⋯嗚嗚⋯⋯」童樂伏在程子仁的胸口上，**泣不成聲**，「要不是我撕破了媽媽的名畫，你就不會死了，嗚嗚⋯⋯」

11

事源下星期是童媽媽的生日，童爸爸打算送她一幅名家畫作，兩姊弟看不到畫的真身，只見他把一個黑色的畫筒藏到床底下，看來是甚麼**奇珍異寶**。

童遙禁不住好奇心，晚上趁爸媽出外買東西，悄悄把畫拿出來欣賞，身為跟屁蟲的童樂也一起湊熱鬧。

太漂亮了！深藍色的天空，橘黃色的月亮，銀白色的星星，化成一個又一個的漩渦，在城市的上空**翩翩起舞**⋯⋯

童遙看得呆住了，嘴裡不斷發出讚嘆之聲，心想：這名叫梵高的畫家真是個**不可多得**的天才啊！

誰知童樂突然看到有蟑螂從床底走出來，嚇得**屁滾尿流**，隨手抓起畫作胡亂揮舞，童遙著急地想搶回來，在兩人拉扯之間，那幅畫慘被撕開了兩半。

童樂本來想向爸爸**負荊請罪**，童遙卻**心生一計**，想到可以利用時光機去找梵高本人。

她上網做過資料搜集，知道梵高生前的畫並不受歡迎，那麼他們既可用便宜的價錢買到名畫，又可以近距離親近天才，不是**一舉兩得**嗎？

　　事情怎麼會變成這樣的？明明是弟弟闖了禍，她出面哀求程子仁幫忙的，現在竟然誤殺了他。她才是真正的**罪魁禍首**！

　　「嗚嗚……子仁哥哥，你別死啊！」童樂淚流滿面，把一雙小手放在程子仁的胸口上，喃喃地唱著：「左手，右手，直手，擺喺心口，嗚……深度，深度，5cm 嘅深度，嗚嗚……速度，速度，一秒兩下嘅速度……」

　　「你在做甚麼？」童遙愕然地問。

　　「在替子仁哥哥做急救……好像叫甚麼 C……CRP？」他繼續按壓程子仁的心臟，儘管力度不足，但姿勢*似模似樣*。

　　「是 CPR，心肺復蘇法，你從哪兒學的？」她沒想到弟弟會有急救的知識。

　　「是『任何仁』哥哥教的。」

　　她想不起有哪位鄰居或親友姓任，但這不是重點，她決定**重新振作**，替程子仁進行另一項心肺復蘇法——人工呼吸。

　　她曾在書上看過，即使一個人的心臟停頓，只要在四分鐘內施以心肺復蘇法，有超過一半機會撿回性命，八分鐘的話成功率亦接近一半。

　　童遙先托起程子仁的頭，再用大姆指及食指捏緊他的鼻子，深深吸了一口氣，準備貼著他的嘴巴吹氣……

　　就在兩人的嘴唇快要互碰時，程子仁忽然睜開雙眼，整個人彈了起來。因為他的動作太大了，結果撞到了壁爐邊上的金屬槽。

　　「你想對我幹甚麼？」他的聲線洪亮，一點都不像受了重傷。

　　「子仁哥哥，你……你復活了？」童樂眨著天真的眼眸，*喜極而泣*。

　　童遙愣住了一陣子，很快就理出頭緒，瞪視著程子仁說：「你是在**裝神弄鬼**嗎？」

　　剛才發現他沒有呼吸，她頓時**手足無措**，一時忘了檢查他的心跳，否則不可能被騙倒。

「誰叫你**恩將仇報**？在危難時把我一手推開？」他用手掃掉頭上的灰燼，再用五指梳理頭髮。

昨天童遙帶著弟弟來找他時，他已有很不好的預感，聽到兩人想偷用正在維修的時光機，他第一個反應是一口拒絕。

他和童遙是學校時空遊學團的代表成員，上個月曾一同出發到十九世紀的維也納，結果因為時光機失靈，眾人一度失散，流落在不同時空。

幸好他懂得量子力學，成功利用時光機尋回童遙兩姊弟，可是兩人遲遲不肯離開，幾乎錯失了回家的時機。

童遙見他**不肯就範**，決定亮出手上的「王牌」——程媽媽。她對童遙心存感激，曾吩咐兒子無論童遙遇上甚麼困難，都務必要**鼎力相助**。（欲知詳情，請參閱《時空遊學團1：

反轉音符國》）。

　　在童遙**軟硬兼施**下，程子仁無奈地答允了她的要求，在另外兩名遊學團成員藍星宇和張月靈的掩護下，三人偷偷溜進了實驗室，由他負責操控剛修復的時光機，展開一趟「快閃之旅」。

「子仁哥哥，姊姊不是有心的，請你大人不記小人過……」

「小樂！我甚麼時候變成小人了？」童遙氣得臉色一陣青、一陣白。

「子仁哥哥今年六年級，你才五年級，他不是年紀比你大嗎？」他沒留意姊姊的表情，傻呼呼地續道：「他長得那麼高，看起來真的像大人呢！」

童樂並不了解「大人」是指氣度宏大的人，而「小人」則代表心胸狹窄的人，童遙覺得跟他解釋也是**白費唇舌**，只是抿著嘴唇生悶氣。

「嗚嗚小弟，別再說了，否則你要再替我急救。」程子仁的眼角瞟了瞟童遙，「不過，下次記著叫你的『禍手』斯文一點，免得大家又要跌進煙囪，弄得**蓬頭垢面**。」

「跟上次的垃圾桶和馬桶相比，煙囪也算是很舒適的通道了。」童樂摸摸脖子，抬起頭跟程子仁說：「子仁哥哥，你真的好厲害！」

程子仁沒有答話，心裡卻**洋洋得意**。在他精心

計算下，選了梵高當年在法國阿爾勒的寓所作降落點，看來他們這次成功了。

三人爬出那個巨型的壁爐後，看到一個裝潢簡樸的大廳，地面由暗灰色的磚塊砌成，牆壁塗上了柔和的淡黃色，幾乎所有家具都被白布蓋住了。

「看來梵高先生很愛乾淨呢！」童樂指著眼前那塊白布，被蓋著的東西形狀像椅子，「我們要不要也這樣做？那樣媽媽就不用常常抹塵。」

「你真是**冰雪聰明**！不如你用白布蓋著自己，以後就**一塵不染**，可以不用洗澡了！」童遙忍不住揶揄他。

童樂不知道這是反話，正想抓起白布當披肩，身後傳來一陣腳步聲，接著有人轉動門把，三人迅速躲回壁爐裡。

若然看到有陌生人出現在自己的家，梵高很可能把他們當成壞人呢！

　　三人悄悄從壁爐向外望，進來的人是一名彎腰駝背、***步履蹣跚***的老奶奶，一頭銀白的髮絲閃亮亮的，臉上和手上都堆滿皺紋。

　　老奶奶慢慢繞過了客廳，正想踏上往二樓的樓梯時，突然又折返客廳，來來回回地踱步。最後她望著地板低聲嘟噥，露出一臉困惑的表情。

　　糟糕！他們全身沾滿灰燼，爬出去時把地面都弄髒了！童遙瞥一眼那塊弟弟摸過的白布，明顯留下了一個黑掌印。

　　老奶奶拿來了掃帚，開始打掃客廳。她跟壁爐的

距離愈來愈近，童樂和童遙盡量把身體攝進壁爐的角落，程子仁則像剛才裝死一樣，頭部朝下伏在地上。

再這樣下去，遲早會行跡敗露！幸好門鈴在此時響起，趁著老奶奶走出玄關應門，三人**快手快腳**地逃出壁爐，頭也不回地奔上樓梯，躲在二樓的轉角處。

暫時脫離險境後，童樂一邊喘著氣，一邊驚訝地說：「沒想到梵高原來是個老奶奶呢！我一直以為他是個男人啊！」

童遙與程子仁互看一眼，不由得**相視而笑**。這是她第一次看到程子仁輕鬆地笑，平日的他大多**木無表情**，要不就是擺出一副**不可一世**的臭臉。

接著，兩人滿有默契地扶著樓梯的欄杆，一同偷望樓下大門的情景，看到一名男子跟著老奶奶進屋。

那人身材中等，臉頰瘦削，頭髮像熊熊燃燒的紅色火焰。他臉上長滿褐紅色的鬍子，頭戴一頂灰色的帽子，嘴裡叼著煙斗，噴出一圈又一圈的白霧。

「小樂，主角現在才*隆重登場*啊！」童遙輕拍一下弟弟的頭頂。

不錯，老奶奶只是大配角，這名男子才是他們的目標人物——文森·威廉·梵高（Vincent Willem van Gogh）。

梵高不喜歡代表作《星夜》？

　　搬到南法後的梵高很喜歡觀察天空中的星星，更會在日出之前走出屋外，獨個兒在村莊的一角觀星。不過，星星也帶給他悲傷的感覺，即使看起來**近在咫尺**，實際上卻**遙不可及**，他曾在寫給弟弟的信中問：「為甚麼星星不能像法國地圖上的黑點那樣**觸手可及**？」

　　梵高將觸不到的星星全都畫進畫裡，他的作品中經常出現星星的蹤影，《夜晚的露天咖啡座》、《隆河上的星夜》和《星夜》被視為經典的「星空三部曲」；當中又以畫風抽象、星星呈漩渦狀的《星夜》最受歡迎，可說是他的代表作。

　　不過，原來梵高在生的時候，對自己這幅作品完全看不上眼。有次他拿著畫作到郵局，想把它們寄給當畫商的弟弟，請他代為出售，卻發現身上沒有足夠的郵費。於是他抽起了部分不滿意的畫作，當中包括《星夜》，更將之形容為「對我毫無意義」。由此可見，有時藝術家的眼光真的跟大眾不一樣，**自鳴得意**的作品未必受歡迎，**滄海遺珠**反倒成為經典之作呢！

第二回

還沒面世的名畫

雖然三人躲在樓梯上偷聽，但老奶奶和梵高說的是法語，而雙方的距離太遠了，他們身上的翻譯機未能成功收音，所以程子仁和童樂都像在看默劇。

至於懂得法語的童遙，其實也聽不清每個字，不過她的讀唇能力了得，大致推敲出對話的內容。

原來老奶奶是這座公寓的房東，正好有空房子要出租，梵高有意把它租下來，卻付不起老奶奶要求的房租，兩人協商不果，最後**不歡而散**。

等到老奶奶和梵高離開後，三人回到一樓的客廳，拉開了覆蓋著家具的白布，**大模大樣**地攤在沙發上展開討論。

「時間還是不對啊！」童遙拿著老奶奶留下的報紙，睨視著身旁的程子仁。

他們在時光機輸入的登陸日子是 1889 年 6 月 22 日，但手上的報紙日期是 1888 年 8 月 29 日，較原定的時間早了十個月。

「雖然有偏差，但比之前早一百年好得多了！」程子仁嘗試為自己辯解，「我不是專家，要多練習才可**熟能生巧**。」

「對啊！而且今次降落的地點很準確呢！」童樂也出言附和。

「你只說對了一半，這裡還未成為梵高的家啊！」童遙雙手托著下巴，「可能要等到**地老天荒**，他才有錢搬進來。」

「是老奶奶『老虎開大口』嗎？梵高先生真可憐。」童樂一臉同情。

「你是想說『獅子開大口』吧？」童遙翻起白眼，拿這個**信口開河**的弟弟沒轍。

「有甚麼分別？老虎的口也很巨大啊！」童樂把臉轉向程子仁，認真地問他：「子仁哥哥，你覺得老虎和獅子的口誰比較大？」

程子仁心想：你這個「嗚嗚小弟」不但**膽小如鼠**，而且還腦袋少根筋！

「這不是重點！」童遙不想跟他糾纏，「重點是梵高太潦倒，根本交不出像樣的租金。」

「梵高先生很老嗎？他比老奶奶年輕很多啊⋯⋯」童樂**不明所以**。

「夠了！小樂，麻煩你閉上嘴巴。」童遙被他弄得**哭笑不得**。

「當務之急是要找到梵高，你們才能跟他買畫。」程子仁霍地站起來，準備隨時動身，「他已走了一段時間，我們要加快腳步才能追上。」

「不用了！他會回來的。」童遙依舊窩在沙發上，神態**從容不迫**，**運籌帷幄**。

「甚麼？」程子仁不解地皺起眉頭。

「只要你倆乖乖配合，自然有人會邀請他來。」她露出**不懷好意**的笑容。

那天晚上，老奶奶又回來繼續打掃。三人迅速**各就各位**，準備依計劃行事。

當老奶奶走近壁爐的時候，大廳的油燈突然熄滅，一團黑影從壁爐裡慢慢爬出來，嘴裡發出可怕的哭泣聲。

28

老奶奶**大驚失色**，用手摀住了臉，掃帚都丟到一旁去。扮演「壁爐鬼」的童遙心中叫好，趁機藏到大廳的窗簾後。

除了眼睛、鼻孔和嘴巴，她整張臉都塗滿黑炭，再穿上程子仁借給她的黑色風衣，在漆黑中猶如有「保護色」一樣。

過了一會，老奶奶才敢睜開一絲眼縫，眼角卻捕捉到一道白影，正在樓梯附近晃來晃去。

這是幻覺嗎？老奶奶猛眨著眼睛，開始雙腿發軟，要扶著椅子才能站穩。

大家以為老奶奶一定會**落荒而逃**，沒想到她突然拾起腳邊的掃帚，用力將它丟向白影。

飾演「白衣鬼」的童樂一直被白布蓋住了臉，看不到事態發展，結果不幸被飛天掃帚擊中了頭。

「哎呀！」他**情不自禁**地喊道。

眼見快要**東窗事發**，程子仁果斷地撲了出來，擋在童樂身前。

29

幸好他**急中生智**，把手機放在下巴位置，用手機燈從下至上照著自己的臉，同時翻起雙眼、吐出舌頭，努力擺出一張「鬼臉」。

老奶奶果然中計！她先是驚呼一聲，接著喊出一連串意義不明的音節，最後**逃之夭夭**。

確保老奶奶遠離現場後，童遙將白布中的弟弟釋放出來。他的額角腫了個大包，眼睛含著一泡淚，樣子**楚楚可憐**。

「還以為老奶奶會**老眼昏花**，沒想到眼界很準啊！」童遙**小心翼翼**地替他處理傷口。

「痛死我了！嗚嗚……」童樂**嚎啕大哭**起來。

「多得你頭上這幢『樓』，梵高才會有屋住啊！」童遙笑著摸摸他腫起的額頭。

她的「預言」並沒有錯，第二天的中午，梵高又隨老奶奶來到這幢房子，他拿著大包小包的行李，還即場簽訂了租約。

他們留意到老奶奶臉青唇白，脖子上掛著一條之前沒有的十字架項鍊，不時瞥向壁爐和樓梯，一副**坐**

立不安的樣子。

童遙因為**奸計得逞**而滿心歡喜，但童樂看到老奶奶精神萎靡，不由得**於心不安**。

臨走前，老奶奶塞了一本《聖經》給梵高，請他好好保存，可是梵高沒有收下。

「《聖經》自小在我的心中，我幾乎可以**倒背如流**。」他的表情**冷若冰霜**。

童遙記得梵高出生於天主教家庭，畢業後更曾做過傳教士，後來才當上畫家。

老奶奶**欲言又止**，最後只說了一句：「祝你好運。」

之後三人**相機行事**，悄悄溜出大門，做了一點準備功夫，黃昏時分才回到梵高的房子前。

第二場好戲快將上演！程子仁向童遙借用鏡子，整理一下頭髮和鬍子，然後按下門鈴。

等候梵高來應門時，程子仁表面上扮作**從容自若**，其實一顆心撲通撲通地狂跳。

　　他跟話劇社的童遙不一樣，並不擅長演戲，不愛正眼看人，接下來的任務簡直要了他的命。

　　梵高只把門打開一條縫，眼光在三人身上來回巡視，警戒地問：「你們找誰？」

　　「梵高先生，你好。」程子仁緊張兮兮地以英語說，額角不自覺地冒著汗，「我們一家人專誠拜訪閣下，希望可以買你的畫。」

　　三人之中，他的身材最高大，樣子也相對成熟，加上一張常被誤認為高中生的「老臉」，所以獲分配「爸爸」的角色。

　　汲取了上次遊學團的經驗，他們這次帶備了多套服飾，以應付不同的場面。今天他就穿上恤衫，腳踏皮鞋，還打了領帶，像個**風度翩翩**的小紳士。

　　為了增強說服力，童遙更強行剪掉弟弟一撮頭髮，為他製作了一把假鬍子。

　　「我聽不懂啊！你們走吧。」梵高匆匆說完，便想把門關上。

　　話雖如此，但他說的明明就是英語，可見他只是找藉口打發三人。

「梵高先生，我會說法語啊！」童遙急忙頂住了門，「我們的媽媽快生日了，很想買一幅你的畫送給她。」

童遙的撒謊心得是，謊話中一定要包括真話，說起來才會自然流暢。

當然，她也經常強調，自己只是**情非得已**時，才會說一些**無傷大雅**的謊言。

「你們怎知道我住在這裡？」他輕蹙著眉問，明顯仍未放下戒心。

他今天上午才簽租約，還沒通知任何人會搬家，眼前出現的三個陌生人太可疑了。

「是米歇爾太太告訴我們的，她說你是一個**大有可為**、前途無量的畫家。」童遙**若無其事**地說謊。

米歇爾太太就是老奶奶房東，她聽到梵高之前這樣稱呼對方。

梵高心想：她不是一向瞧不起我嗎？之前還叫我別再畫畫，換一份有穩

定收入的工作啊！難道她**口是心非**？

「米歇爾太太說你的畫很有個人特色，而且售價相宜，未知可否給我們欣賞一下？」她特別在「售價相宜」一詞上加強語氣，希望對方不會**開天殺價**。

梵高表面上很冷靜，內心其實激動不已。這幾年來，他在不少地方寄賣過畫作，也參與過好幾個畫展，卻始終**寂寂無聞**。

他從沒有賣出過一幅畫，現在竟然有人主動上門找他買畫，簡直就像做夢一樣！

雖然這三個人**來歷不明**、**怪裡怪氣**的，但想賣畫的心情蓋過了一切，他最終打開了家門，請他們在玄關等候。

隔了一會，梵高拿著一疊厚厚的畫作出來，交給程子仁說：「你們看吧。價錢可以商量。」

他這次說的是英語，發音並不標準，表情也很腼腆。其實他最討厭說英語了，但為了第一宗「生意」，只能討好掌握財政大權的「爸爸」。

「謝謝你。」程子仁把手中的畫遞給童遙，以生硬

的語氣說：「我親愛的女兒和兒子，你們來挑選吧！」

你的演技好爛啊！童遙忍住沒有笑出來，跟弟弟**急不可待**地翻著畫作。

然而，他們翻了又翻，不但沒找到心目中的《星夜》，就連類似的作品也看不見。

草帽與煙斗。砂鍋與木屐。礦場與枯樹。在農地幹活的女人。吃馬鈴薯的男人⋯⋯

這些畫畫的不是死物，就是看不見臉或沒甚麼表情的農民，用色異常灰暗，予人**死氣沉沉**的感覺，跟一般人印象中的梵高畫風**截然不同**。

原來它們是梵高還在荷蘭時創作的，他本人十分喜歡，可惜一直**乏人問津**。

「梵高先生，你還有其他作品嗎？」童遙只好這樣問他。

他難掩失望之情，但還是拿來另一批畫作，以沒有**抑揚頓挫**的聲音說：「就只剩這些了。」

這次是他來法國後所畫的作品，色調較為明亮，

主題大多是巴黎的風景、阿爾勒的鮮花，也有幾幅帶有日式風情。

當翻到一幅畫著藍色花的畫時，程子仁被深深吸引著，不自覺地把畫拿到自己眼前，看得**目不轉睛**。

可是，童遙**從頭到尾**看了一遍，仍是找不到記憶中的《星夜》。

「姊姊，會不會是還未畫？」童樂把她拉到一旁，低聲在她耳邊說。

一言驚醒夢中人！她真是**粗心大意**，他們可是早了大半年降落啊！

根據網上資料，《星夜》於1889年6月中面世，所以她才選在6月22日

去南法找梵高，打算**捷足先登**買下畫作。

「媽媽很喜歡吃馬鈴薯，或者我們可以買這幅？」童樂指著一幅黑沉沉的畫。

畫中熱騰騰的馬鈴薯正冒著水蒸氣，幾名滿臉皺紋、**瘦骨嶙峋**的農民，用枯柴般粗糙的手指抓起馬鈴薯來吃。

媽媽怎可能喜歡這幅畫？童遙望著一臉無知的弟弟，只覺**欲哭無淚**。

梵高三餐只吃馬鈴薯？

　　梵高成為畫家初期，主要在荷蘭生活，他熱愛大自然，當中特別鍾情農舍，因此畫過不少以農田、農民為主題的作品。1883 年，他在海牙畫過一幅《種馬鈴薯的人》；到了 1885 年，他在魯恩又創作了《吃馬鈴薯的人》，描繪五名農夫圍坐桌邊吃馬鈴薯的情景。

　　身為名畫主角的「馬鈴薯」，當時可說是勞動階層的恩物，因為產量多、價錢便宜，不少人三餐都以它為主食。因為馬鈴薯本身沒甚麼味道，人們就將它沾上糖，再配咖啡來吃。窮人間還有這樣一個笑話：「今天吃馬鈴薯配咖啡，明天想換個口味，就喝咖啡配馬鈴薯。」

　　據說梵高曾寄住在一名叫路德的農民家中，跟他一家人生活了一段日子。路德幾乎每餐也會煮馬鈴薯來吃，再配一杯黑咖啡。梵高初時覺得很新鮮，沒多久就吃膩了，再也嚥不下去。自此他對每天辛勤工作、*自給自足*的農民更是敬佩，更視《吃馬鈴薯的人》為最滿意的代表作之一。

第三回

我們變成日本人？

　　童遙看著被攤開的信，**一絲不苟**地模仿著上面的字跡，在另一張信紙上默默地抄寫，表情認真得像一個在動大手術的醫生。

　　幾個小時前，三人在咖啡店買了一份最便宜的三文治，坐在最角落的位置分著吃，然後陪童遙練習寫信。

　　「這次成功了嗎？」在旁的程子仁焦躁地問。

　　她已寫了同一封信數十遍，程子仁看著一張又一張信紙報銷，墨水筆的墨水都快要用完，不由得為錢包心疼。

　　「既然你**滿腹牢騷**，換你來寫好了！」童遙瞪他一眼，粗魯地把筆塞到他手中。

　　信上寫的全是法語，對程子仁來說等同外星語言，看上十秒已覺**頭暈目眩**。

　　「你不用**吹毛求疵**，這個年代沒有筆跡鑑定，只要騙過梵高就好。」他將筆交回她手上。

　　離開梵高的家前，童遙瞥見玄關的櫃上放了一疊信，全都是梵高的弟弟西奧寫給他的。她記得兩兄弟**感情甚篤**，於是她**靈機一動**，悄悄偷了其中一

封信。

她的最新計劃是模仿西奧的筆跡寫信，冒充他的朋友，找藉口待在梵高身邊，刺激他提早創作《星夜》一畫，或是畫一幅類似的作品。

「梵高跟弟弟經常通信，對他的字跡十分熟悉，我不能**掉以輕心**。」

「對啊！我們不能露出馬『尾』！」童樂好不容易想到一個成語，不知道自己又出糗了。

「小樂，雖然尾和腳都是身體的一部分，但應該是**露出馬腳**才對。」童遙搖搖頭，對弟弟創作新成語的能力驚嘆不已。

「我也說中了三個字，是不是有進步？」他吐吐舌頭，向姊姊撒嬌道：「可以獎勵我買東西吃嗎？」

饞嘴的童樂望向店內新鮮出爐的麵包，嗅到空氣中瀰漫著食物的香氣，早已肚子打鼓、**垂涎三尺**。

　　「不可以！ 我們不能亂花錢。」程子仁搶先回答，「有本事的話，你自己賺錢來花吧！」

　　「時光機不是會變錢嗎？ 我們有很多錢啊！」童樂委屈地扁扁嘴。

　　針對上次的意外，學校特別改良了時光機，新增了「貨幣兌換」的功能，只要把現代的鈔票放進「兌換格」，就可自動轉換為降落時空的貨幣。

　　「那些錢不是**無中生有**的，我們要用真金白銀換回來的呀！」程子仁開始沉不住氣。

　　「我不知道是換還是變，我親眼看到時光機跌了很多錢出來。」他回想打開兌換格時，整格都被硬幣填滿了。

　　「那些都是面值很小的硬幣，加起來才四百法郎，即是三千港元左右。」童遙做過資料搜集，知道梵高在生時沒啥名氣，僅賣出一幅油畫、兩張素描，最貴那張約售四百法郎。

　　於是她集合了自己和弟弟的利是錢、零用錢，加上其餘三名成員的捐助，勉強籌到這個金額的「旅費」。

　　這次不知又要逗留在異時空多久，這筆錢除了用來買畫，還要應付日常開支，必須審慎理財。

　　「那不是很多嗎？可以買超過一百支哈根大斯雪條了！」童樂想起他最愛的脆皮雪條，不由得**食指大動**。

　　「我在說梵高的名畫，你跟我說脆皮雪條？」

　　「天氣這麼熱，難道你不想吃雪條嗎？」童樂依然死心不息，建議道：「最多我們買一支分來吃，好不好？」

　　「不好！」程子仁快要被氣死了。

　　就在兩人**各不相讓**之際，童遙終於完成任務，寫好第一封「冒牌信」。她望著信上密密麻麻的字，自覺相似度達九成。

　　三人拿著偽造的信再次上門，梵高讀過信後**深信不疑**，以為弟弟有朋自遠方來，招呼他們到客廳的沙發上坐。

　　「原來你們是西奧的好友，為何不早點告訴我？」他為三人倒茶。

童遙在信中謊稱三人來自巴黎，打算到阿爾勒旅遊和買畫，以西奧的名義請哥哥多加照顧。

梵高一向有社交障礙，不愛跟陌生人打交道，唯獨非常依賴和信任弟弟西奧。

在他眼中，弟弟的好朋友就是他的知己，即使自己的環境不好，也要一盡地主之誼，讓對方**賓至如歸**。

「如果你們不嫌地方狹窄，可以暫時住在這裡。」梵高的話正中他們的下懷。

梵高租住的房子共有兩房兩廳，還有獨立的浴室和廚房，以現代人的標準來說算是很寬敞了。

飾演「爸爸」的程子仁先裝作不好意思，推卻梵高的好意，之後兩姊弟又扮作很喜歡梵高，想留在這裡看他畫畫。

　　童遙經常擔任話劇女主角，演技早已**爐火純青**，說至激動處更眼泛淚光。

　　至於童樂的演技就比較生澀，表情僵硬如雕像，還好幾次不小心說了廣東話。

　　再次聽到那奇怪的音節，梵高心念一動，興奮地問：「小弟弟剛才說的是日語嗎？ 你們是日本人？」

　　十九世紀的歐洲曾掀起一股崇日風潮，當時的法國人對日本藝術文化**趨之若鶩**，很多人會購買日式畫作和雕塑作擺設。梵高也很仰慕日本的藝術，更臨摹過當中幾幅作品。

　　童遙看到梵高眼中閃過的神彩，又想起之前見過的日式畫作，猜到他是「哈日」一族，於是**將錯就錯**說：「對啊！ 我們是日本人。」

　　梵高顯得**興趣盎然**，不斷追問日本的種種。幸好童遙看過不少日本的電影、小說和漫畫，回答得**頭頭是道**，連程子仁都開始懷疑她有日本血統。

　　她還臨時替三人改了日本名字，「爸爸」程子仁叫「根本英俊」，弟弟叫「根本友瀛」，至於她本人就叫「根本元美」。

　　事後她講解名字的意思時，程子仁表面**嗤之以鼻**，心裡其實**沾沾自喜**，認為自己的俊美外貌得到認證。

　　當然，他也不忘取笑童遙，認為她自稱「根本元美」太自戀了。

　　「西奧好朋友」加上「日本人」的身份，梵高自然把三人當作上賓看待，堅持要留他們小住幾天，順利踏出了計劃的第一步。

　　在房間安頓下來後，他們馬上討論下一步作戰方案，程子仁建議由童遙開口，請梵高教她畫畫，童遙聽後卻**面有難色**。

　　「我不喜歡畫畫，你們來學好了！」

　　「我只會玩樂器啊！」童樂坦白地說。

「我只會計數和做實驗，從來不會拿起畫筆。」程子仁也實話實說，然後語帶諷刺地反問：「根本『完美』小姐，你不是甚麼都會做嗎？」

我不會畫畫呀！童遙心裡這麼想，卻又**不甘示弱**，只好說：「到時看著辦吧！」

到了晚上，梵高請他們一起共晉晚餐。桌上放了四個蓋上碟子的大盤子，童樂不由得**翹首以待**，期待吃到一頓豐盛的菜餚。

童樂率先揭開第一盤菜的蓋子，裡面是淡黃色的清燉馬鈴薯，沒有肉類或其他配料。他微感失望，心想：我還是吃另外三碟好了！

可是，當他逐一將蓋掀開，卻**接二連**三受到打擊。

第二碟是原個蒸馬鈴薯，它們好像剛從田中挖出來一樣，表層還黏著烏黑的泥土。

第三碟應該是馬鈴薯泥，可是橫看豎看都不過是把煮熟了的薯仔壓爛而成，質感粗糙，賣相叫人倒胃口。

至於最後一碟竟然是清炒薯條！童樂本身很喜歡吃薯條，但眼前的薯條軟綿綿的，半點香氣也沒有，實在叫人食慾不振。

「你們不用客氣，隨便吃吧！」梵高隨手抓起一個蒸馬鈴薯，粗魯地連著皮吃起來。

三人硬著頭皮，一人挑了一款來吃。童遙的清燉馬鈴薯好像還未煮熟，咬下去像石頭一般硬邦邦的；程子仁的馬鈴薯泥淡而無味，**名副其實**吃泥一樣；童樂才吃了三條清炒薯條，便發誓短期內不再吃麥當當的薯條！

童遙兩姊弟不禁掛念家中的媽媽，覺得她出品的「地獄薯條」和「黑炭薯餅」雖然賣相不行，但其實味道**差強人意**。

「你們吃那麼少？」梵高已吃完第三個蒸馬鈴薯。

「我們肚子不餓。」童遙擠出笑容回答，「梵高先生，看來你很喜歡吃馬鈴薯啊！」

「我不是喜歡吃，只是馬鈴薯飽肚又便宜。」他聳聳肩頭，「反正我吃甚麼都沒所謂。」

「這裡的物價很驚人嗎？」童遙問他。

「質量好的顏料很貴，買一支好顏料的價錢，應該可以用來吃一星期的飯。」梵高語帶無奈，表情卻很幸福。

梵高視餓肚子為等閒事，一向**豐衣足食**的童樂卻不習慣，深夜時肚子一直咕咕作響，無法入睡。

童遙見狀**於心不忍**，批准他吃一個從香港帶來的杯麵，童樂幾乎**感激流涕**。

她挑了弟弟最喜歡的「XO醬海鮮風味」，到廚房替他加熱水。把杯麵拿回房間前，她忍不住偷吃了一口，麵條煙韌又彈牙，湯汁香濃又惹味，確是「人間極品」。

就在她步出廚房時，有人迎面向她走來，嚇得她

的手一抖，差點把杯麵打翻。

「那是甚麼？ 好香啊！」梵高露出罕有的貪吃相。

「這個是……我們叫杯麵，山前一丁杯麵。」童遙掀開了杯蓋介紹道。

梵高湊近杯麵聞了一下，頓時**異香撲鼻**，他晚餐時明明已吃了四個馬鈴薯，此刻卻**望眼欲穿**地盯著童遙手中的杯麵。

童遙見到他**口水直流**的模樣，只好問他：「你想吃嗎？」

她以為梵高會推辭，沒想到他竟然爽快地說好，取過杯麵**津津有味**地吃起來，不消三分鐘就吃個碗底朝天，連湯汁也喝得一滴不剩。

「太美味了！ 是我這輩子吃過最棒的美食！」梵高**食髓知味**，不客氣地問：「元美妹妹，你還有這個……杯麵嗎？」

童遙怕他會一口氣吃掉自己帶來的杯麵，於是謊稱只有一個。梵高顯得很失望，捧著空杯子說：「人家

說日本是美食天堂，果真**名不虛傳**！這是很高級的食物吧？」

「不！只是很普通的平民食品。」

「那應該很難烹調？你是料理神童嗎？是不是根本太太教你煮的？」他*連珠炮發*地問。

「只需三分鐘就煮好，很簡單啊！」童遙指著杯上的文字，「日本有個叫山前一丁的廚師，他研發了這款杯麵，我們只需在杯中倒進熱水，等一會就可以直接吃了。」

後來她才知道，山前一丁只是公司名稱，而不是創辦人的名字。

「有機會真想到日本旅行，親眼見識山前先生的廚藝。」梵高像個癮君子般，嗅著杯口的餘香。

杯麵應該在二十世紀才出現吧？除非你坐上我們的量子時光機，否則就是*癡心妄想*了！童遙心中暗忖，覺得這名畫壇大師可愛極了。

梵高死後成名全靠弟媳？

梵高的人生一**波三折**，跟父母關係欠佳，感情無法開花結果，生前亦未名成利就，幸得弟弟西奧一直默默支持。西奧是個事業有成的畫商，既為哥哥提供金錢資助，也出力替他賣畫，可惜最後只賣出一幅《紅色的葡萄園》。

在梵高死後不到半年，西奧亦鬱鬱而終，令新婚一年半的妻子喬安娜傷心不已。當時西奧家裡堆積了大量梵高的油畫和素描，喬安娜的哥哥曾建議把畫丟掉，但她沒有

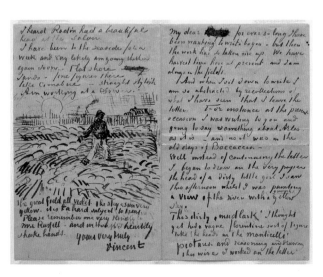

聽從，反而因為思念丈夫，重看一次梵高寫給丈夫的五百多封信，並細看家中掛著的梵高畫作。

　　她此舉本是為了懷念丈夫，卻漸漸被兩人的**手足之情**感動，也理解到梵高對藝術的熱情，遂決定完成西奧生前的心願：讓全世界看到梵高的畫！

　　喬安娜花了十年時間，辦了多場梵高的畫展，同時將他和西奧的信結集成書，用盡方法宣傳這名被世人忽略的天才。終於到了第七場畫展，梵高的畫作開始受到注目，後來更受人追捧，甚至以「天價」成交。梵高和西奧未了的願望，喬安娜終於替他們達成了！

第四回

根本家族的全家福

　　第二天，童遙睡至**日上三竿**才起床，剛張開眼睛，梵高那張滿腮鬍子的臉**映入眼簾**，她差點就尖叫起來。

　　「我想畫畫，你們快來幫忙啊！」聽梵高的口氣，似乎已等得不耐煩。

　　童遙趕忙爬起床，再叫醒仍在呼呼大睡的弟弟和程子仁，**必恭必敬**地問：「梵高先生，我們可以怎樣幫你？」

　　「我想你們做我的模特兒，沒問題吧？」他看似在詢問，其實不容別人拒絕，「我一直想畫日本人的人像畫。」

　　讓我們當畫中的主角嗎？童遙**喜不自勝**，猛搖著弟弟的身體，童樂仍是**睡眼惺忪**、迷迷糊糊的模樣。

　　程子仁也是一臉愛睏，他發現梵高在旁時，第一個反應是從背包掏出梳子，梳理一頭凌亂的髮絲。

　　雖然他是男孩子，卻十分注重儀容，尤其緊張自己的髮型。他其中一句人生座右銘是：「飯可以不吃，書也可以不唸，頭卻不能不梳。」

當童遙兩姊弟的隨身行李中有杯麵和零食，他則帶備了洗髮和護髮用品，還有一支平日上學不能用的定型水。

他看到梵高直勾勾的視線，還以為自己的頭髮亂得像鳥巢，所以把對方嚇怕了。

「根本先生，你怎麼一夜間年輕了十年？」梵高露出疑惑的眼神，注視著他那張白滑的臉。

大事不妙了！他還沒貼上鬍子啊！程子仁本能地以雙手掩面，一時間**六神無主**。

童樂**自作聰明**地抓起床邊的假鬍子，想悄悄遞給程子仁，卻被童遙出手阻止。

這樣不是等同**自投羅網**嗎？童遙示意弟弟別作聲，然後出言解圍道：「爸爸覺得天氣太熱，昨夜把鬍子都剃光了！」

這個解釋很合理，只是程子仁**作賊心虛**，才會不懂反應。

「原來如此，你現在看起來像個少年，我差點認不出你。」梵高邊說邊點頭，摸了摸自己臉上的鬍子，

「也許我也是時候刮鬍子了！」

童遙怕**言多必失**，於是轉移話題道：「梵高先生，請給我們一點時間換衣服，之後你就可以畫畫了。」

「不要換衣服，你們這身打扮很合適啊！」

童遙低頭看看自己的裝束，那是媽媽購自日本百貨公司的浴衣，上面印有淡粉紅色的櫻花圖案，她在夏天都當成睡衣來穿。

至於弟弟身上的是藍色浴衣，上面印滿卡通的富士山圖案。他熟睡時總是**翻來覆去**，所以腰帶都鬆開了，露出雪白的肚皮。

「可是，這套衣服好像……」童遙覺得穿睡衣當模特兒很尷尬，從行李中翻出一條酒紅色的洋裝裙，「我換上這裙子好嗎？」

梵高猛力搖頭，**理所當然**地說：「你們是日本

人，穿日式和服才能凸顯民族氣質。」

由於程子仁穿的不是浴衣，而是一般汗衣，於是梵高請他也換上日式打扮。

程子仁本欲推辭，童遙卻認為**盛情難卻**，決定**先斬後奏**，用法語代他答應，再逼迫他就範。

個子高大的程子仁無法穿下童樂的小號浴衣，結果**迫不得已**借用童遙的粉藍色浴衣，那些可愛的梅花圖案令他感到怪彆扭的。

程子仁穿上**衣不稱身**的浴衣，綁上腰帶後不敢用力呼吸，生怕會撐破它。浴衣是勉強穿得下，長度卻只到膝頭，令他渾身不自在。

看到鏡子裡的自己，程子仁羞愧得想逃跑，卻被童遙抓住了，將他帶到梵高身前。

「根本先生，你穿上和服後變得更年輕了！」梵高無視他窘迫的表情，「這樣看來，你和元美妹妹、友瀛弟弟簡直是三兄妹啊！」

「這身造型跟你是**天作之合**，讓爸爸**返老還童**，一下子變成哥哥呢！」童遙笑著揶揄他。

穿越畫世界

程子仁看到她**嬉皮笑臉**的樣子，實在**忍無可忍**，用手指捏著她的臉頰，再向兩邊拉扯。

「你幹甚麼？快住手！」童遙叫了起來。

她以為梵高會出言叫停，萬料不到他竟然說：「噢！請你們保持這個動作。這個畫面很溫馨，充分表現出家人之間**樂也融融**的氣氛。」

藝術家的眼光都是那麼異於常人嗎？童遙不敢苟同，卻敢怒不敢言。

之後梵高吩咐童樂站在兩人中間，然後一手拿著調色盤，一手握著畫筆，開始在畫布上畫眼前的「一家三口」。

童遙只好硬擠出微笑，希望被捏的臉看起來不會太醜，同時在心底咒罵程子仁。

　　程子仁成功**報仇雪恥**，心中無比暢快，本來繃緊的臉逐漸放鬆，不自覺瞇起眼笑了。

　　不知過了多久，直至程子仁的雙手乏力、童遙的笑臉近乎僵硬、童樂差不多站著入睡，梵高終於宣布**大功告成**。

　　三人看到完成品，不由得**欣喜若狂**，童遙和程子仁也暫時放下芥蒂，並肩欣賞由自己當主角的「名畫」。

　　梵高不愧為大師級畫家，不單畫出各人五官的特徵，連神態也**活靈活現**，就像現實中的人落入了畫世界。

　　更**神乎其技**的是，他們明明身穿睡衣，動作也有點古怪，畫出來卻毫無違和感，真的流露出一股溫暖歡樂的氛圍。

　　如果請梵高畫一幅媽媽的人像畫，不是比《星夜》更加珍貴嗎？那可是**與眾不同**、**千金難求**啊！

　　就在童遙想開口請求時，梵高忽然長嘆一聲，然後拿起一把美工刀，手起刀落，轉眼將畫割成碎片。

「不要啊！」童樂第一個慘叫。

他想起自己曾誤撕梵高的名畫，覺得不能**袖手旁觀**，衝上前想拉住梵高的手，卻被他一手甩開。

「梵高先生，你為何要這樣做？」童遙也是**大吃一驚**。

「因為畫得不夠好。」他沉著一張臉，幽幽地道：「陽光的投影有偏差，顏色的亮度亦不足。果然不是最上乘的顏料，畫出來的都是瑕疵品。」

「我覺得已經很**出類拔萃**！一般人應該看不出來吧？」童遙覺得他太完美主義了。

「但是我看得出來。」他的臉蒙上一層陰霾，宛如**烏雲密布**的天空。

「你不怕自己後悔嗎？」童遙惋惜地問。

「不完美的作品，對我來說都毫無意義。」他朝畫布再劃一刀，決絕地把它丟到地上。

昨天童遙還在想，梵高待他們還算有禮，不像傳說中的性情暴躁，現在總算見識到他的藝術家脾氣。

這幅畫在梵高眼中是失敗之作，對他們來說卻是無比珍貴的禮物。於是她和童樂一同蹲在地上撿拾布碎，想盡力把畫拼回原狀。

就在這時候，童樂發現有甚麼東西繞過他的腳邊，還好像發出了微弱的吱吱聲。他低頭一看，竟然是一隻拳頭般大的老鼠！

「嘩—嘩—嘩—」他高聲尖叫，聲音都走調了。

為了閃避老鼠，他在屋內**東奔西竄**，梵高的畫具全都被打翻了，不但調色盤跌到他身上，衣服變成了**五顏六色**，畫筆更凌空飛起，在梵高的臉頰畫了一筆。

童樂自知闖禍，怯怯地停下腳步，卻不小心踩到一排顏料上，黃色的顏料瞬間噴射而出，把其中一格地板染成了鮮黃色。

梵高「啊」了一聲，緩緩彎下身子，眼也不眨地望著那格黃色地板，雙眼瞪得像兩枚熠熠發光的銅鈴。

梵高本來就心情不好，童樂還弄出這樣的爛攤子，他一定會**大發雷霆**！童遙狠狠地瞪視著**餘悸猶存**的弟弟。

童遙一邊跟梵高道歉，一邊用衣袖擦著地板，卻被梵高厲聲阻止。

「快住手！ 不要抹！」

他是太生氣了嗎？ 不會把我們趕出去吧？ 童樂默默垂下頭，這次望著自己的一雙「禍腳」。

「你們看！ 這片黃色多美啊！」梵高凝視著地板上的顏料，就像在鑑賞**價值連城**的藝術品。

「……」三人有點摸不著頭腦。

梵高依舊盯著那抹黃色，嘴角慢慢浮現笑容，*喃喃自語*道：「它既像燦爛的陽光，也像無垠的麥田，又像閃爍的繁星，實在是太美了……」

童遙不大明白梵高在說甚麼，但見到他的心情突然變好，便乘勢附和說：「對啊！ 實在太漂亮了！」

「你也這麼認為嗎？」梵高把視線投向她，想尋求別人的認同。

「當然了！黃色是最棒的顏色呢！讓人看到了熱情、幸福、光明、希望……」童遙為了討好他，選擇*誇大其辭*。

「說得好！我要把這裡變成黃色的世界！」梵高**雄心壯志**地說。

梵高也是「哈日族」?

　　雖然梵高沒去過日本,但跟很多十九世紀的歐洲人一樣是「哈日族」,喜歡看以日本為主題的小說,跟弟弟通信時經常表達對日本藝術的欣賞之情。1888年,他由大城市巴黎來到小城阿爾勒,驚覺當地的景物有日本的影子,於是大叫:「我找到日本了!」之後,他就決定在這個「翻版日本」住下來。

　　日本藝術中最令梵高著迷的是浮世繪。浮世繪起源於十七世紀,主要描繪江戶時代庶民的生活情景和風俗習慣,氣氛大多歡樂繁榮,體現一種*及時行樂*的人生態度。梵高覺得浮世繪的筆觸飄浮流

動，行雲如流水，而且充滿強烈的色彩，對這種繪畫風格特別仰慕，更嘗試將這些元素加入自己的畫作中。

　　他曾購入數以百幅價廉物美的浮世繪，打算轉售來賺錢，但一來他不懂營商，二來也捨不得將畫賣掉，結果把它們全都掛在工作室的牆上，變成了私人珍藏。之後他更臨摹過三十多幅浮世繪作品，當他為好朋友「老唐基」繪畫肖像畫《唐吉老爹》時，更將背景畫成浮世繪版畫，可見他是百分百的「哈日族」呢！

第五回

跟梵高玩猜猜畫畫？

　　第二天，梵高馬上買了幾桶黃色油漆回來，決定把房子的外牆和內部都髹上黃色。

　　為了節省開支，他打算由自己親手髹漆，反正填色對他來說**易如反掌**，只是比較花時間而已。

　　童遙等人自動請纓加入，當她扶著弟弟爬上木梯子時，發現程子仁仍坐在沙發上，手中拿著一疊報紙。

　　「根本先生，你還在悠閒地看報紙？」她嘟起小嘴，催促道：「快點過來協助你的寶貝子女啊！」

　　他明明看不懂法語，只是想躲懶吧？童遙瞪著這名六年級的師兄。

　　程子仁對她的話**聽而不聞**，開始動手摺報紙，不消一會就摺出一頂立體的廚師帽，用來保護他最重視的頭髮。

　　童樂看到廚師帽後很好奇，嚷著他也要一頂，程子仁問他想要甚麼款式，他想了想後答道：「我要畢業時戴的帽，四四方方的，看起來很威風那種！」

　　只見他左一折、右一摺，轉眼就摺成一頂可愛的四方帽。

「嘩！好厲害啊！」童樂興奮地戴上帽子，尺寸竟然剛剛好。

之後程子仁又為梵高摺了一頂畫家帽，頂部有一個小天線般的裝飾，連梵高亦**嘆為觀止**，讚他有一雙「魔術手」。

童遙心裡很羨慕，但不願開口請求程子仁，不想看到他**得意忘形**的臉。

「姊姊還沒有啊！你給她摺一頂最特別的吧！」童樂正好說出她的心聲。

「沒問題！」程子仁爽快地答應，然後又動手摺起來。

「嘩！是包黑子所戴的帽子呢！」童樂大聲嚷嚷。

形狀如屋頂的帽子兩端，各自伸出了一條長長的邊，就像兩根微微翹起的翅膀。

「是狀元帽?」童遙接過了帽子，對他**刮目相看**。

「你自封根本『完美』，狀元帽不是很適合你嗎?」

眾人戴上度身訂做的「裝修帽」後，終於開始為牆壁髹上油漆。當梵高拿起油漆掃，忽然**心血來潮**，把它當成畫筆在牆上繪畫。

只見他隨手一畫，寥寥幾筆便畫出一座黃色的屋子、一棵黃色的樹、一道黃色的橋，還有一堆黃色的小人兒。

下一刻，梵高又在畫上塗滿了厚厚的黃色油漆，黃色房子瞬間被淹沒在一片黃海之中。

「我們可以玩『猜猜畫畫』啊!」童樂舉手提議。

反正要全屋髹漆，可以將牆壁當臨時畫板，只要像梵高一樣，畫完再填滿黃色就好。

童樂和程子仁開始輪流畫畫，再猜對方在畫甚麼，旁觀的梵高**意興盎然**，竟然主動要求加入。

穿越畫世界

「那麼我們要分成兩組，姊姊你也來畫吧！」

童遙抓著油漆掃，內心**惴惴不安**，要她執筆畫畫可不行啊！可是連梵高也要玩，她實在**騎虎難下**，只好**勉為其難**參與。

遊戲規則是兩隊負責畫的人出題給對方，指定要畫的東西，再看哪邊的隊員較快說出正確答案。

因為童遙會法語，所以跟梵高一組，初時由梵高負責畫，她輕易就能估中答案，在比賽中**遙遙領先**。

其實童樂和程子仁也畫得不差，但要跟梵高這種天才畫家相比，實在有**雲泥之別**。

「這樣不公平啊！你們應該像我和嗚嗚小弟一樣，輪流畫才對。」程子仁提出抗議。

「子仁哥哥說得對，姊姊也要畫呀！」童樂表示認同。

兩人說的是廣東話，童遙並不打算翻譯，梵高卻像跟他們**心有靈犀**，在此時開口道：「元美妹妹，這次由你來畫吧！」

她先跟弟弟對戰，童樂出的題目是「恐龍」，而她就要求弟弟畫「貓咪」。

不用怕！我做得到的！童遙鼓起勇氣，在牆上勾畫出恐龍胖胖的身軀，再加上芝麻般的眼睛、張得大大的嘴巴、凸出來的尖牙……

腦海中明明浮現出清晰的恐龍形象，但從她的手畫出來，卻完全變了另一副模樣，本身的輪廓**蕩然無存**。

這就是童遙一直逃避畫畫的原因，要不是有畫功很棒的媽媽幫忙，很多視藝科的功課根本交不出來。

「這是……大象嗎？」梵高看著那歪歪斜斜的線條，以不肯定的語氣問。

童遙在「恐龍」的頭頂加了幾筆，本來想畫一排尖角，結果看起來像三角形的耳朵。

梵高愈看愈迷惘，只好努力發揮聯想力，繼續猜道：「難道是白兔？ 或者老鼠？ 還是……」

　　他幾乎把世上所有動物都說了一遍，就是猜不中「恐龍」，讓童遙的「玻璃心」碎了一地。

　　就在她想舉手投降時，程子仁猜中了童樂所畫的是「貓咪」。她發覺弟弟畫得*有模有樣*，不禁**自慚形穢**。

　　然而，梵高看到童樂的「壁畫」後卻臉色一沉，鎖緊了眉頭，像看到甚麼不祥的東西。

　　「是我畫得太難看了嗎？」童樂看到他的反應，**誠惶誠恐**地問。

　　「我最討厭貓了！」梵高冷冷地道，轉過身背向三人，「這遊戲很無聊，我不玩了！」

　　經過昨天的「根本家族全家福」事件，他們對梵高的**喜怒無常**已不意外，默默地回到自己的工作崗位。

　　花了大半天的努力，終於完成了一樓的髹漆工程。三人早已**筋疲力竭**，晚飯後還沒洗澡就倒在床

上昏睡。

半夜時分，童遙被一陣聲音吵醒，樓下的客廳傳來微弱的物件碰撞聲。她初時**不以為意**，後來卻聽見「咚咚咚」的怪聲。

她決定起床探個究竟，路過梵高的睡房時，他聽見內裡傳出沉重的呼吸聲，當中夾雜著刺耳的磨牙聲。

她用手機燈照著地面，***躡手躡腳***地走下樓梯，發現梯級上有一些奇怪的黑色印痕。

此時忽然有一道巨大的黑影閃過，她瞥見一張懸在半空的鬼臉，嚇得她雙腳一抖，幾乎滾下樓梯。

「『完美』小姐，是我呀！」耳邊響起熟悉的聲線，「你連爸爸也不認得了？」

她定神一看，程子仁正用手機燈照著自己的臉，跟那天恫嚇米歇爾太太的情景一樣。

「是⋯⋯是你！」她***如釋重負***地舒一口氣，軟軟地坐到梯級上。

「你以為我是鬼嗎？」

「我聽到了……怪聲。」她覺得背脊升起了一股涼意，「你有沒有……看到甚麼？」

「噢！你是說那小鬼嗎？」他扮了個鬼臉，換上惡作劇的笑容，「我就是下來跟『他』打招呼啊！」

「你……別……開玩笑呀！」她聽後**面如死灰**。

程子仁拉住她的手走下樓梯，把她帶到壁爐前，拋下一句：「你自己親眼看吧！」

該不會真的有「壁爐鬼」？童遙心裡害怕得要命，但不想被他看扁，於是大著膽子望向壁爐。

下一刻，壁爐的中央出現一雙黃澄澄的眼睛，接著一團黑色的東西跳了出來，撲到童遙的腳邊，還發出一聲「喵嗚」的怪叫。

原來是一頭貓咪！牠渾身披著烏黑亮麗的毛，帥氣的長尾巴高高豎起，瞪著黃寶石般閃亮亮的眼眸，好奇地打量著她這名陌生人。

「你就是……小鬼？」她先是吁了口氣，接著對程子仁**怒目而視**，「你這個『幼稚鬼』！這樣嚇人很好玩嗎？」

「我沒有嚇你。牠全名媒炭屎鬼，暱稱是『小鬼』。」

「你怎知道牠叫甚麼名字？還不是你亂改的嗎？」

「你看牠的頭圓滾滾的，一身純黑的毛髮，不是跟媒炭屎鬼撞臉嗎？」程子仁說得**理直氣壯**。

童遙還想跟他算帳，貓咪卻低聲地「喵喵」叫，然後在她的小腿上磨蹭，弄得她的腿一陣搔癢。

她伸手摸摸牠的頭，沒想到毛髮柔順如絲綢，於黑暗中顯得格外光滑，就像剛剛擦過油似的。

貓咪似乎很享受她的撫摸，舒服得瞇起雙眼，發出呼嚕呼嚕的聲音。

「小鬼很喜歡你。」程子仁露出羨慕的眼神，「牠只是問我拿吃的，沒讓我摸牠。」

原來程子仁跟她一樣，在睡夢中聽到古怪的聲

響，於是循著聲音來源尋找，發現了藏身於客廳的「媒炭屎鬼」。

這頭小鬼一點都不怕生，***明目張膽***地討吃，程子仁去廚房拿了麵包和鮮奶餵牠，牠***狼吞虎嚥***地把食物吃個精光。

「這不是梵高養的貓吧？ 他不喜歡貓啊！」童遙想起白天的情景，梵高連看到貓的畫像也發脾氣。

「但也不像流浪貓，身體乾淨，毛色美麗，而且很親人。」

「你的主人在哪裡？」她看著那雙貓兒眼問。

小鬼回以一聲「喵嗚」，突然跳回壁爐裡，再叼來一顆褐色的小圓珠，在地上左右撥弄，玩得***不亦樂乎***。

童遙沒養過貓，但學校常有一頭流浪貓駐守，深受師生們歡迎，大家都尊稱牠為「貓校長」。

她知道貓咪愛撲蝶追鳥，也喜歡撥弄小物件。剛才在二樓聽到的怪聲，應該是牠玩圓珠時發出的。

萬一給梵高看到小鬼，牠會有甚麼下場？兩人都有很不好的預感。

沒想到翌日早上，其中一面髹了黃色油漆的牆上，竟出現幾個淡淡的印痕。

那明顯是貓腳印！小鬼是會**飛簷走壁**嗎？童遙和程子仁交換了一個眼色，心中暗叫不妙。

「你們覺得這是甚麼？」梵高指著牆上的腳印問。

昨夜睡得像頭死豬的童樂**不知就裡**，興奮地舉起手大叫：「是貓咪的腳印啊！」

幸好他說的是廣東話，梵高不像他們一樣有翻譯機，所以有聽沒有懂。

可是，童樂見姊姊沒有替自己翻譯，竟然嘗試以英語回答：「這是……」

「那其實是我畫的！」童遙急忙打斷他的話，同時急速轉動腦筋。

「那到底是甚麼呢？」梵高追問她。

此時程子仁的腦海靈光乍現，搶答道：「是花！是半朵花！」

中間的大肉球是花芯，旁邊幾個小肉球是花瓣。這個答案簡直**完美無瑕**，程子仁覺得自己太有急才了！

梵高聽後微張著嘴，一副**老僧入定**的模樣，怔怔地凝視著小鬼留下的腳印，好一陣子沒有說話。

正當童遙擔心騙不過他，他卻露出**茅塞頓開**的表情，燦然一笑說：「我看到了！是金黃色的向日葵！」

梵高是個「黃色控」？

　　梵高為了尋找創作靈感，於 1888 年搬到南法小城阿爾勒，租住了一家四房公寓，希望建立一個讓藝術家共同生活和創作的空間。這屋子除了外牆，連屋內的睡床、被套、椅子，以至牆上的畫框都以黃色為主，所以被稱為「黃色房子」。

　　有專家分析梵高的畫作時，發現他初期的畫作以灰色

名人小故事

調為主，後來卻變得色彩斑斕，尤其對明亮的黃色情有獨鍾。 除了《黃色房子》，他又畫過一系列向日葵作品，而其他重要畫作如《星夜》、《夜晚的露天咖啡座》、《麥田群鴉》等，畫中都充斥著亮眼的黃色。

梵高為何會突然變成「黃色控」？有人認為他是受巴黎的印象派畫家影響，亦有人覺得是陽光充沛的南法改變了他。同時有另一種說法，指當時的他可能患有白內障，或是受治療腦癇症的藥物影響，令眼中看到的畫面都帶有黃色。

不論原因是甚麼，後期的梵高的確偏愛黃色，利用它畫出一幅又一幅代表作。畫中熱情綻開的向日葵、被陽光照成金黃色的麥田、咖啡座溫柔暖黃的燈光，都讓人看到滿滿的生命力，不自覺地愛上這抹黃色呢！

第六回

梵高的明日黄花

　　梵高決定以向日葵為繪畫題材，更**坐言起行**，立即出門到市集買花，童遙等人也跟著去湊熱鬧。

　　來到十九世紀的南法好幾天了，他們大多時候都留在黃色房子裡，沒怎麼見識外面的世界，所以一出門就興奮莫名。

　　黃色房子佇立在大街轉角處，這裡沒有大型商場，沒有**琳瑯滿目**的櫥窗，卻有很多精緻的小商店，售賣花布衣裳、薰衣草製品、彩繪陶瓷和馬賽香皂等生活用品。

　　童遙心想：如果媽媽也在這兒，一定會瘋狂購物，把整條街的東西帶回二十一世紀的香港！

　　他們穿過長長的石板街道，兩旁是**各式各樣**的攤檔，有的賣香噴噴的麵包，有的賣甜絲絲的糖果，有的賣**五彩繽紛**的蔬菜，有的賣**鮮蹦活跳**的海鮮……

　　童樂駐足在一家賣法式煎餅的店鋪前，不斷舔著嘴唇。店內洋溢著一股濃濃的牛油香與蛋香，鍋子發出「滋滋」的響聲，冒出像雲霧一樣的熱氣。

然而，梵高對這一切**視而不見**，不斷在街道上穿插，看來**心急如焚**，好幾次撞倒迎面而來的途人。

童遙只好拉著弟弟離開，正當他們快要追不上梵高的步伐時，四人終於來到了目的地。

眼前的花店上天下地都是花，連天花板都掛著**數之不盡**的花束，猶像一個「花世界」。

艷陽般絢麗的紅色、朝霞般燦爛的橙色、黃金般明亮的黃色、草地般青翠的綠色、海洋般溫柔的藍色、晚霞般浪漫的粉紫色……彷彿天上的彩虹墜落凡間，把花朵染成不同顏色。

梵高停在黃色鮮花的位置前，**屏氣凝神**地盯著近百朵向日葵，認真地左挑右選。

與此同時，程子仁走向盡頭的紫藍花海，露出**目眩神迷**的表情。

童遙不認得那是甚麼花，只見每朵有六片花瓣，形狀就像蝴蝶的一雙翅膀。

童遙正想問他那是甚麼花，梵高已選好了一大束

向日葵，**急不可耐**地付款離開。

　　程子仁戀戀不捨地放下手中的紫藍花束，口中**念念有詞**，恍若在跟深愛的戀人告別。

　　回到黃色房子後，梵高**二話不說**便將向日葵插進花瓶中，然後拿出畫具和顏料，在客廳**專心致志**地作畫。

　　他一畫就是半天，期間丟了好幾張畫布，不時苦惱地抱著頭，過程似乎不大順利。

　　黃昏時分，童樂猛嚷著肚子餓，童遙見梵高**聚精會神**、**心無旁驚**的模樣，不敢出言打擾，自己帶弟弟出外吃東西。

　　她也有叫程子仁同行，但他一口拒絕，說想留下來看梵高畫畫。

　　兩姊弟依靠殘留的記憶，來到今早的石板街道，那兒傳來一陣悠揚悅耳的樂聲。

一頭棕色短髮、年約二十多歲的青年站在路邊，**搖頭晃腦**地拉奏小提琴，腳邊放著一個空紙兜。

「噢！是《第一號華麗曲》！」童樂雀躍地叫出聲來，然後微微偏著頭說：「可惜小提琴有點跑音，音調偏高了少許。」

平日童遙覺得弟弟是個笨蛋，但每次說到音樂的話題，她都**甘拜下風**。

賣藝青年拉完一曲後，只有童樂一個給予掌聲，他尷尬地搔了搔頭，似乎想離開了。

童遙好心提醒青年，他的小提琴好像走調了。青年**將信將疑**地將琴交給童樂，他熟練地撥弄著弦線，轉眼就把音調好。

青年覺得十分神奇，不停跟兩人道謝，還問童樂想要甚麼報酬。

童樂早就技癢難耐，於是向青年借用小提琴，陶醉地拉出一組優雅動人的音符。

自從上次在十九世紀的維也納跟海頓、莫札特和貝多芬合奏後，他的舞台恐懼症已近乎痊癒，只要不是

91

參加比賽，也能自信地在陌生人面前演奏。

他的琴音吸引了不少路人，愈來愈多人駐足欣賞。
大家見到表演者是一名小孩子，琴聲卻*繞樑三日*，
全都*嘖嘖稱奇*，紛紛把賞錢放進青年的紙兜裡。

一曲既終，圍觀的人報以熱烈的掌聲和歡呼聲。青年想把賞錢全給予童樂，但他堅持只收一半，餘下的當作「租金」，令青年**喜出望外**。

「姊姊，我現在有很多錢，你想吃甚麼？我想吃法式煎餅！」童樂一旦口袋有錢，就只想到吃東西。

「我要買魚！」

「你不是很討厭吃魚的嗎？」

「不是我自己吃的。」她故作神秘地笑了笑。

最後他們用賞錢買了很多東西，**歡天喜地**抱著戰利品回到黃色房子，卻發現內裡瀰漫著一片**愁雲慘霧**。

梵高一直**寸步不離**地坐在畫架前，不吃也不喝，**一心一意**畫著向日葵，卻怎樣畫也不滿意。

被梵高丟棄的畫布愈堆愈高，漸漸在地上堆成一個小山丘，就如一束又一束失去生命的花朵。

當他終於畫到滿意的初稿，身體已**精疲力盡**。他拖著累壞了的身軀，**一言不發**地返回二樓的房

間，「砰」一聲關上了門。

　　等到晚上，童遙和程子仁待童樂上床就寢，又確認梵高的房間傳來打鼾聲，才**鬼鬼祟祟**地來到陽台。

　　童遙輕輕地「喵」了一聲，隔了片刻，一團黑影在半空飛躍，敏捷地降落在陽台的地板上。

　　「咦！你是誰？是小鬼的朋友嗎？」童遙狐疑地問。

　　貓咪先是「喵喵」叫，然後圍著她繞了一圈，不停地用頭部磨蹭她的小腿。

　　在昏黃的月色映照下，貓咪身上的毛色**黑白分明**，好比穿了一身華麗的禮服。那張黑臉上有一個粉紅色的鼻子，嘴巴附近都是白色的，就像戴上了面罩。

　　「牠就是小鬼啦！」程子仁蹲下身子，摸了摸貓咪的頭頂。

　　「可是，小鬼明明是黑貓……」童遙感到**大惑不解**。

　　小鬼抬頭看著童遙，連續發出幾聲「喵嗚」的低鳴，好像在投訴：你竟然認不出我！

　　「牠本來就是黑白貓，只是昨晚沾上了壁爐的灰塵，才會變成*邋邋遢遢*的『媒炭屎鬼』。」

　　程子仁剛說完這句話，小鬼突然伸手打了他的手一下，不過並沒有出爪，似乎是不滿他說自己的「壞話」。

　　童遙拿出白天從市場買回來的沙甸魚罐頭，小鬼的鼻子十分靈敏，馬上湊到罐頭旁邊，尾巴豎得高高的，顯得**興高采烈**。

　　小鬼把魚**一掃而光**，還伸出小舌頭舔罐頭的邊緣，童遙覺得牠的模樣太可愛了，於是拿出手機想拍片。

　　當小鬼看到手機投到牆上的亮光，就像發現獵物一樣，興奮地追逐著光源，在廳內**東奔西跑**、亂碰亂撞，混亂中把桌上的花瓶摔破了——那正好是梵高在畫的向日葵。

隨著倒地的花瓶發出巨響，樓上的梵高和童樂都被驚醒了。程子仁拍拍小鬼的屁股，示意牠快逃，牠卻頑固地不肯走，他只好抱著牠躲到陽台。

梵高看到客廳**亂作一團**，花瓶**支離破碎**，**怒氣沖沖**地大叫：「是誰打破我的花瓶？是誰呀？」

「是我。」童遙舉手招認，「梵高先生，對不起……」

「根本元美，你知道自己幹了甚麼好事嗎？ 難得我畫得像樣一點，卻給你破壞了一切！」梵高抱著花瓶，像個瘋子般嚷嚷，還目露凶光。

他們沒見過如此**凶神惡煞**的梵高。此刻的他，完全忘記了眼前人是弟弟的「好朋友」，恨不得把他們統統趕出大門。

「我會賠一個新的花瓶給你，再重新把花插好……」

梵高猛搖著頭，**呼天搶地**喊道：「已經不一樣

了！花瓶不同了，向日葵也不同了，我無法再用它們來寫生啊！」

「梵高先生，你先冷靜一點……」童遙試著勸他。

「你叫我怎樣冷靜？你根本不明白！你們全都不明白！」梵高雙腿一軟，乏力地跌坐地上，「除了西奧，家人和朋友都不支持我畫畫！無論我多麼努力畫，大家都**不屑一顧**，作品從來賣不出去，證明我只是庸才俗輩！」

原來他真正執著的，是**懷才不遇**的痛苦，被摔破的花瓶只是發洩的藉口。

「不是這樣的！你將會成為**無人不曉**的畫匠啊！」

「不可能的！我一輩子也不會成功！你看我三十多歲了，仍是**一事無成**！」他用力抓著一頭紅鬃髮，**自言自語**地道：「我畫不出完美的作品……我該怎麼辦？」

童遙不知如何安慰他，此時童樂走了過來，把一包東西遞到梵高面前，**戰戰兢兢**地說：「給……你的。」

梵高打開了紙袋，內裡有三支小小的油彩，分別是黃、藍和綠色。他怔怔地望著顏料，良久沒有說話。

今天童樂意外地賺到賞錢後，在買法式煎餅和沙甸魚罐頭之前，先預留了一半的金額來買顏料。

一來他對那天踩到梵高的顏料感到抱歉，很想向他賠罪；二來他看到這名大畫家**節衣縮食**，只為了堅持畫畫，心中既敬且佩，所以想送他一點小禮物。

認識梵高以後，他覺得自己很幸福，可以**隨心所欲**地學不同的樂器，只要他說有興趣學，爸爸和媽媽都不會反對，更會大加鼓勵。

「梵高先生，我不懂大人的事，但我喜歡音樂，即使沒有人聽我表演，我依然會繼續彈琴、吹笛、拉奏樂器。」童樂眨著一雙天真的眼眸，眼神卻十分堅定，「因為音樂令我好快樂啊！」

童遙一邊替他翻譯，一邊在心底反思，驚覺看起來很笨的弟弟其實**大智若愚**。

　　梵高也反覆琢磨著童樂的話，本來哀怨的目光漸漸消失，眼底閃過一絲慧黠的光芒。

　　「友瀛弟弟說得對，我應該享受畫畫的過程，而不是它的結果！」他拍拍自己的額頭，發現自己**本末倒置**。

　　當天他走上畫家之路，純粹因為喜歡畫畫，感到**樂在其中**，並沒想過要靠畫畫**出人頭地**。

　　「友瀛弟弟，謝謝你！」他抓著童樂的手，「明天醒來，我要畫出令我快樂的向日葵！」

　　「好啊！我們很期待你畫的『明日黃花』。」童樂做了一個「加油」的手勢。

　　童遙聽後**啼笑皆非**，心想幸好梵高聽不懂。**「明日黃花」**指的是重陽節後的菊花，用來比喻過時的事物，所以弟弟這句話不是祝福，而是詛咒呢！

「凋謝」的畫中向日葵？

　　熱愛大自然的梵高是個花癡，曾畫過杏花、雛菊、玫瑰、丁香、鳶尾花、銀蓮花、康乃馨、夾竹桃等不同的花，但他最愛的花還是向日葵。據說他一生之中，至少畫過十一幅向日葵作品，他認為向日葵可代表南法的燦爛陽

光，也代表了無窮的生命力，更曾揚言：「向日葵是屬於我的花。」

他在 1888 年 8 月住進阿爾勒的黃色房子後，便開始創作「向日葵」系列，希望完成品可以掛滿整個畫室，迎接好朋友高更的到訪。因為花朵凋萎的速度太快，梵高必須**一鼓作氣**地繪畫，更曾於一周內連畫四幅向日葵作品，創作力達至巔峰。高更在離開黃色房子十多年後，還在筆記寫道：「我至今仍滿腦子是向日葵。」

不過，曾在畫中綻放耀眼光芒的向日葵，竟像真實的花朵一樣，隨著時間流逝而「凋謝」。原來當年梵高使用的黃色顏料稱為鉻黃，它價格偏高，但色澤特別明亮，令梵高**愛不釋手**。可是，鉻黃本身含有特殊物質，在陽光下會與其他顏色產生化學作用，令部分花瓣逐漸出現暗褐色，變得愈來愈黯淡，結果「明日黃花」就好像慢慢凋零了！

第七回

陽台上的蒙面俠

第二天起床後，梵高在市集買了一盆連著泥土的向日葵回家。不過他對栽花毫無認識，程子仁忍不住出言指導。

程子仁年紀小小，對栽花卻很有心得，他跟梵高分析道：「向日葵喜歡陽光，放在陽台最合適。而且它們的新陳代謝迅速，需要較多水分，所以要常常澆水。」

隔了幾天，梵高似乎跟向日葵培養了感情，靈感來襲時在陽台架起了畫架，沐浴在和煦的陽光中作畫。

畫中的向日葵**栩栩如生**，不過童遙留意到跟現實不符，於是問梵高：「為甚麼你把花盆畫成花瓶？而且盆中只有九朵向日葵，怎麼你卻畫了十二朵？」

「我畫的不是眼前的花，而是心裡的花。」梵高說時望著程子仁，露出含蓄的笑意，「那是根本先生給我的啟發。」

下個月，他的畫家好友高更將會來作客，梵高把期待的心情、滿腔的熱情貫注於畫中，畫出了**張牙舞爪**的向日葵。

畫興大發的梵高埋首作畫，打算再多畫幾幅「明日黃花」，於是童遙拉著程子仁來到陽台。

因為梵高愛上了向日葵，那兒已變成了一個小花園，並由程子仁負責打理。

「心裡的花是甚麼意思？你到底跟梵高說了甚麼？」童遙追問道。

「有人說過，花跟人一樣擁有生命，每朵都有自己的性格和故事，在世上是**獨一無二**的。」程子仁想起媽媽的話，會心一笑道：「就像人不可以貌相，要用心去感受。」

童遙**似懂非懂**的，但見程子仁竟然可點化一名大畫家，不由得對他**另眼相看**。

「沒想到你身為男孩子，竟然這麼喜歡花啊！」

「我的媽媽很愛花。」他思考了片刻，決定如實相告，「幾年前，媽媽用爸爸的人壽保險金開了一家花店，我有空時會去店裡幫忙。」

「你的媽媽是不是特別喜歡這種花？」

童遙遞了一束花給他，正是早幾天在市集的花店看到、宛如蝴蝶的紫藍色花。

程子仁愣怔住了，過了半晌才**結結巴巴**地問：「你怎麼⋯⋯知道的？」

「它叫 Iris，中文常譯作愛麗絲，對嗎？」

她特地到市集查探那是甚麼花，在聽到花的名字後便**恍然大悟**。

程子仁的媽媽洋名愛麗絲（Alice），童遙知道他很孝順媽媽，猜他想把花帶回現代的香港，於是利

用餘下的賞錢，買了一束「愛麗絲」送給他。

「謝……謝你……」程子仁伸手接過了花，眼底泛起一層晶瑩的水霧。

「只是一束花，不用那麼感動吧？」童遙沒料到他會有此反應。

「爸爸死前一星期，正好是媽媽的生日，他送了一盆愛麗絲給媽媽做禮物。」程子仁搜索著回憶，「那是他親手種的花，由播種開始，足足花了近三年時間，才終於等到它開花……」

程子仁從沒跟任何人提起這件事，也不知道自己為何突然想說出來。

「你的媽媽好幸福。」童遙眨眨眼睛，眼眶開始濕潤起來。

「可是，幾天之後，爸爸就遇到車禍，那盆花變成了他的遺物…………」程子仁仰起頭，不讓眼眶的淚水流下來。

「你媽媽為了紀念他，所以決定開花店？」童遙鼻子一酸，忍不住哭了起來。

　　程子仁一時間**不知所措**，只好拍拍她的肩膀以示安慰。此時童樂剛巧來到陽台，看到兩人親密的舉動，驚訝得張大嘴巴。

　　「子仁哥哥、姊姊……你、你們……」他看到程子仁手中的愛麗絲花，掩著嘴巴叫道：「原來姊姊向你表白了！」

　　這可是天大的誤會！聽到弟弟錯誤的推理，童遙頓時止住了哭泣，把臉轉向他罵道：「你幹嗎在**造謠生事**？」

　　這個弟弟真是**人小鬼大**！他了解甚麼是表白嗎？

　　「我有說錯嗎？你拿我賺的錢去買花，然後把它送給子仁哥哥……」童樂本來說得*振振有詞*，但看到姊姊凌厲的眼神，便不敢說下去。

　　「你的姊姊確實是送了花給我。」沒料到程子仁這樣接話。

　　「程子仁！你是唯恐天下不亂嗎？」童遙頓時漲紅了臉。

「噢！你們果然是談戀愛了！」童樂的眼睛睜得老大，眼珠子都快要跌出來了，「子仁哥哥，姊姊是不是送了魚給你做定情信物？」

「誰會送沙甸魚罐頭給別人做定情信物？」童遙覺得好氣又好笑。

「我還沒說完。」程子仁頓了頓，**慢條斯理**地道：「雖然我*人如其名*，天生英俊，但你那名『完美』的姊姊並沒向我表白。」

「可是，那天買的魚都去了哪裡？」童樂一直記掛著消失了的魚，它們可是**所費不貲**。

「你想知道的話，今晚我們再來這裡吧。」程子仁輕拍他的頭頂。

跟前幾晚一樣，程子仁和童遙確認梵高入睡後，才帶著魚罐頭到陽台，以「暗號」呼喚小鬼。

童樂這次也跟著來，愛睏的他本來**昏昏欲睡**，當看到小鬼以「禮服蒙面俠」的姿態凌空降落，頓時精神一振。

「好漂亮的貓咪啊！」他著迷地看著那雙晶瑩剔透的貓兒眼。

「牠叫小鬼。」程子仁跟他介紹，**似笑非笑**地道：「牠才是你姊姊的表白對象。」

童遙奉上了沙甸魚罐頭，小鬼**迫不可待**地開懷大吃，童樂愛惜地撫摸牠身上滑不溜手的毛。

「現在**真相大白**了吧？」童遙斜眼看弟弟，「你之前竟敢**胡言亂語**、毀我清譽！」

「鯖魚？這明明是沙甸魚啊！」童樂又再誤解姊姊的意思。

「跟你說話根本是**對牛彈琴**！」

「成語小姐，我勸你還是放棄好了！」程子仁努力憋住笑意，「否則嗚嗚小弟可能會問

哪裡有牛。」

「不！我想問牛喜歡聽甚麼音樂。」童樂傻傻地問。

此時小鬼已把罐頭吃個精光，於是磨蹭童樂的小腿討食物。童樂覺得小鬼很喜歡自己，**如獲至寶**地抱起牠。

小鬼跟很多貓咪一樣抗拒被抱，在他懷中激烈地掙扎，更想從陽台一躍而下。

童樂擔心牠會墮樓受傷，一時情急出手抓住牠，結果只抓到牠的尾巴。

小鬼瞬間尾巴炸開，全身的毛髮像刺蝟般直豎，變得*面目猙獰*，嘴裡發出可怕的「嘶嘶」聲，同時把手伸向童樂的臉⋯⋯

「不要啊！」陽台響起了慘叫聲。

驚叫的人是梵高，他一直躲在陽台的窗簾後，此時試圖衝出來拉開童樂，卻遲了一步，小鬼的手已落在童樂的臉上。

梵高以為會看到**血流如注**的畫面，卻發現小鬼沒有出爪，只是輕拍童樂的臉頰，似是在教訓他不要亂來。

「怎麼辦？ 今次被當場抓『貓』了！」童樂無助地問姊姊。

「應該是當場抓『包』，意思是**人贓俱獲**……」童遙意識到不是解釋這個的時候，轉向梵高說：「對不起，牠吃完東西就走。」

梵高的視線緊緊地盯著地上的小鬼，沒有離開半分。小鬼似乎不害怕，伸出頭好奇地回望他，眼珠子骨碌碌地轉動。

程子仁拍了拍小鬼的屁股，但牠跟上次一樣不肯走，甚至慢慢走近梵高，用身體掃他的腳，發出一陣嬌嗲的喵叫聲。

三人**面面相覷**，怕小鬼會觸怒梵高，因而**惹禍上身**。

梵高初時緊握著拳頭，抬起臉不去看牠，小鬼卻

變本加厲，不停繞著他團團轉。梵高突然蹲下身子，把手舉至半空中⋯⋯

當大家以為小鬼要受**皮肉之苦**時，梵高的手放慢了動作，緩緩地降落在小鬼的頭頂上。

他竟然在輕撫小鬼！小鬼一臉受落的模樣，不但瞇起眼享受「按摩服務」，後來更肚子朝天地軟攤在地。

「梵高先生，我還以為你⋯⋯討厭貓咪。」童遙搞不懂眼前的狀況。

「對！我應該恨死貓啊！」梵高幽幽地嘆了口氣。

梵高告訴他們，小時候家裡養過一頭貓，跟小鬼一樣是黑白貓，名叫「牛牛」。他八歲時畫的第一幅素描《貓》，就是以「牛牛」為主角。

他跟父母的關係疏離，經常跟牛牛傾訴心事，牛牛對他的態度卻**忽冷忽熱**。

有次他跟媽媽吵架後傷心不已，想抱起牛牛尋求安慰，牛牛卻不領情，更對他施以利爪。

「當時只有五歲的西奧為了保護我，一手將我推開，結果捱了牛牛一爪……」梵高將廿多年前的故事**娓娓道來**。

他記得弟弟的手臂血如泉湧，事後留下了長長的疤痕，要穿長袖衣服才能掩蓋。

牛牛除了在西奧的手刻下傷疤，也在梵高的心底烙下**不可磨滅**的陰影。

他常常在想，自己從小到大都不是討人喜歡的孩子，連貓咪也不想跟他親近。

從此以後，不論是對著牛牛還是其他流浪貓，他都裝出厭惡的樣子，以免再次被拒絕。

然而，梵高看著眼前的小鬼，發現自己仍是很愛貓，這些年來都是**自欺欺人**。

他搬進來的第一天便懷疑家中有貓，先是晚上聽見奇怪的彈珠聲，又見過被**五馬分屍**的老鼠屍體，也知道那天在牆上的是貓腳印。

那晚童遙自稱打破花瓶，他直覺是貓咪做的「好

事」。這幾天他都刻意發出假的鼻
鼾聲，再悄悄跟蹤程子仁和童
遙，確認兩人到陽台餵貓。

「牠可能是牛牛的後
代，特地來找你道歉呢！」
童遙好言安慰。

小鬼像是在附和她的
話，抬起頭喵了幾聲，然後伸
了伸懶骨頭，爬到梵高的腿上，
很舒服地坐下來。

「該說對不起的人是我。」梵高情深款款地看著小
鬼，溫柔地說：「你可以代祖先原諒我嗎？」

梵高被母親當成替代品？

梵高表面上是家中的長子，但其實並非媽媽安娜所生的第一胎，只是他的哥哥出生後不久便夭折。巧合的是，他的出生日正好是哥哥的忌日，於是媽媽把他當成死去的大兒子來撫養，更沿用同一個名字文森（Vincent）。

因為曾痛失愛兒，安娜把所有期望都寄託在梵高身上，對他的要求非常嚴格。小時候的梵高雖然**聰明伶俐**，卻不愛學習，總覺得自己只是一件替代品，媽媽根本不是真心愛他。安娜愈是逼迫他，他就愈是反叛，經常逃學、轉學，十五歲後更索性不再上學，令安娜氣得**七孔生煙**。

安娜**望子成龍**，於是安排梵高在畫商朋友的店裡任職，他卻轉眼就被解僱了。之後梵高決定要當畫家，過著**朝不保夕**的日子，加上感情生活一片混亂，令她既傷心又失望，跟兒子關係破裂。自小渴求母愛的梵高，終其一生都跟媽媽不親近，成為他人生的一大遺憾。

第八回

小鬼是天才畫家？

梵高不但收留了小鬼,還替牠畫了幾幅「貓像畫」。一人一貓**相逢恨晚**,整天都**形影不離**,梵高更是唯一可以成功抱起小鬼的人。

童遙與童樂每天弄貓為樂,好不快活,而程子仁則專心打理陽台的鮮花,三人都漸漸把正經事**置之腦後**。

有一天,梵高帶著小鬼出外散步,卻一整晚也沒有回來。翌日回家時,他手上拿著一幅油畫,童遙認出

是他的另一代表作《夜晚的露天咖啡座》。

又過了幾天,梵高出門時索性帶著畫架同行,兩天後就畫好了《隆河上的星夜》。

看來小鬼是梵高的「靈感貓神」,牠**名正言順**地住下

來後，梵高一連畫出兩張**流芳百世**的佳作。

童樂第一眼看到《隆河上的星夜》，還以為他畫的是《星夜》，興奮得**手舞足蹈**，在姊姊提醒下才知道是**張冠李戴**。

然而，同樣是晚上的星空，畫中有著點點星光和閃閃燈火，映照在寶藍色的隆河上，童遙相信媽媽也會喜歡。

與此同時，在現代香港的張月靈傳來訊息，提醒他們要在三天內回來，大家終於**如夢初醒**。

不同時空的時間流動速度也不一樣，這次他們慌稱周末要回校補課，所以爭取到大半天的「自由行」，折算成十九世紀南法的時間約為三星期。

為免**夜長夢多**，童遙趁著梵高心情還好的時候，試著問他拿《隆河上的星夜》回去贖罪。

童遙本來提出以「友情價」買畫，梵高見難得遇上知音人，又欣賞她對媽媽的孝心，決定將畫送給她。

就在兩人研究要如何將畫打包時，門鈴響了起來。

　　是米歇爾太太來收租嗎？因為買了高級的魚罐頭和貓用品，梵高把西奧之前寄來的錢都花光了，今個月還沒交租。

　　他**忐忑不安**地應門，沒想到眼前人竟然是弟弟西奧！

　　西奧擁有一頭褐色的短髮，頭戴淺黃色的草帽，五官跟梵高很相似，但衣著光鮮得體，打扮整齊斯文，予人**彬彬有禮**的印象。

　　「你怎麼突然來了？為何不預先告訴我？」梵高**大喜過望**。

　　「我有通知你啊！你收不到我的信嗎？」

　　其實那封信兩個星期前已寄抵梵高的家，只是童遙在信箱發現了它，於是藏了起來。

　　「沒有啊！難道寄失了？」梵高偏起頭想了想，「你對上一封信，已是根本先生帶來那封。」

　　「根本先生是誰？」西奧滿臉狐疑地問。

　　「他就在這裡啊！」梵高轉身想指向「根本英

俊」，卻發現他**不知去向**。

童遙目睹梵高兄弟**久別重逢**，知道紙包不住火，為免**功虧一簣**，想悄悄拿著《隆河上的星夜》逃走。

當梵高在屋內四處尋找時，躲在壁爐的三人準備趁機離開，但剛溜到大門邊時，小鬼突然跑了過來，伸手抱住童遙的腿。

童遙稍一猶豫，小鬼竟然高聲地「喵喵」叫，彷彿在告訴主人：「我逮到小偷了！」

梵高和西奧應聲趕了過來，西奧弄清是甚麼一回事後，氣憤地道：「你們這群騙子！我要報警抓你們！」

西奧的外表看起來很柔弱，卻無法忍受哥哥被騙，罵人時**聲如洪鐘**。

大家都以為梵高會**怒不可遏**，結果他只是輕輕搖頭，淡淡地說了一句：「算了吧。」

「怎能這樣就算？他們不但冒認是我的朋友，更想偷走你的畫，必須嚴懲啊！」西奧**忿忿不平**地道。

「他們是真心喜歡我的畫，所以才會這樣做吧？」

梵高望了望童遙，她把《隆河上的星夜》高舉到頭頂上，不讓淘氣的小鬼抓到它。

他真的一點也不生氣，反而覺得童遙等人很看得起自己，願意**大費周章**設下騙局。

「一句喜歡就可以**胡作非為**？年紀輕輕就如此奸詐，絕不能姑息！」西奧依然不肯放過三人。

「他們是有點亂來，但一直待我很好，也幫了我不少忙。」

梵高想起童遙請他吃的杯麵、童樂送他的顏料，還有程子仁替他栽種的鮮花。

全因他們，梵高才了解應該享受畫畫的過程，而非執著於畫出來的結果。

也多得他們**誤打誤撞**，小鬼才會住進他家裡，不但解開了他的心結，更為他帶來**無窮無盡**的創作靈感。

「梵高先生，對不起，是我們欺騙了你。」童遙終於開口認錯，「但我們媽媽真的很喜歡你的畫……」

「騙人！你媽媽真的認識我哥是誰嗎？我賣畫賣了這麼多年，從沒有客人說得出他的名字……」西奧忽然想起哥哥就在身旁，於是打住了話。

雖然梵高有**自知之明**，可是聽到弟弟親口說出殘酷的現實，自尊心還是會受傷。

小鬼似乎知道他不開心，走過去他的腳邊磨蹭，今次發出嬰孩般輕柔的叫聲，彷彿在安慰主人不要難過。

「這件事**千真萬確**，請你們相信我！」童遙雙手合十，一臉誠懇地看著梵高，「在百多年後，梵高這個名字會**家喻戶曉**，連小孩子也知道你是**赫赫有名**的畫家。」

接著她說出了三人的真實身份，並解釋了穿越時空的**前因後果**。

西奧聽後從鼻子發出冷笑，認定她在瘋言瘋語。梵高沉默良久，最後嘆了口氣道：「我以為自己已是瘋子，沒想到有人比我還要瘋狂！」

他不相信啊！童遙正感沮喪，梵高卻續道：「為了一幅畫，你們這群小朋友竟然登上時光機去冒險，不是太瘋狂了嗎？」

原來他相信了！梵高回想這陣子發生的事，覺得三人並不像等閒之輩，而且他本身想像力豐富，認為這個世界**無奇不有**，有機會也想參加時空旅行呢！

更重要的是，童遙說他將來會成為**鼎鼎大名**的畫家！即使那是謊言，他也萬分樂意被騙。

於是他追問童遙，她口中的《星夜》是一幅怎樣的畫，看看自己是否能畫得出來。

童遙拿出手機，想顯示她之前在香港拍下的照片，卻發現手機的相簿**空空如也**。

「沒有準備好道具嗎？」西奧立即揶揄她，瞥一眼她的手機說：「竟然說這小東西可以拍照，真是有夠誇張的！」

程子仁和童樂急忙拿出手機，相簿中的照片同樣**不翼而飛**。

這個時空沒有網絡，她未能上網找參考圖片，無法向梵高展示他將來的名畫。

「『完美』小姐，你的記性很好吧？應該記得《星夜》的畫面？」程子仁在耳邊提醒她。

「畫面下方是黑夜的街景，後方有一排遠方的山，佔畫面的三分之一，其中一棵樹**高聳入雲**。」童遙閉上眼睛，努力搜索著記憶。

「畫面上方是藍色的星空，天上有漩渦形狀的雲彩，右上方有一輪熠熠發光的月亮，還有像在旋轉般的星星。一共有多少顆星星呢？一、二、三……大概是十顆？還是十一顆？應該是……」

因為她描繪得太仔細了，連認定她在說謊的西奧也不禁專注地傾聽，在腦海幻想著圖畫的模樣。

然而，梵高卻聽得**一頭霧水**，忍不住問她：「你可以畫出來嗎？」

「不可以啊！」她馬上耍手搖頭。

「現在不是繪畫比賽，不用介意自己的畫功啊！」程子仁看穿她的憂慮，柔聲地鼓勵道：「只需把你記得的畫出來就好。」

「姊姊，我相信你會做得到！」童樂附和道。

童遙感到**進退兩難**，後來連梵高也加入游說工作，甚至拿出自己的畫具給她。

於是她決定豁出去，在調色盤上擠了藍、黃、綠、白、黑等顏料，然後深深吸了口氣，開始在畫布上畫畫。

畫著畫著，童遙感到畫筆傳來一股神奇的力量，令她**心悅神怡**，不知不覺**眉開眼笑**。

她想起自己再小一點的時候，很喜歡拿著畫筆塗

塗畫畫，更試過在家中的牆上塗鴉，結果給媽媽痛罵一番。

當童遙停下來的時候，發覺畫出來的線條**歪七扭八**，跟實物**大相逕庭**，就像一幅幼稚園學生的作品。

這就是她放棄畫畫的原因。她忘不了有次上美術課時，同學姜小敏取笑她畫的東西「相似度為零」，連老師也尷尬地表示：「有很大的進步空間。」

「我真的不會畫畫！畫得太醜了！」童遙暗罵自己**不自量力**。

「也不是啊！我覺得用色很漂亮。」程子仁竟然第一個稱讚她。

還以為他會**落井下石**呢！童遙心中竊喜，臉上卻裝作毫不在意。

「姊姊，你剛才邊畫邊笑，看起來好快樂。」

「元美妹妹，畫畫不單著重形

似，最重要是捕捉神髓，畫出意境。」梵高拍拍她的肩，「你的畫功是不理想，但畫風**別具一格**呢！」

梵高從她的畫中，看到了不一樣的星夜，刺激到他體內**蠢蠢欲動**的創作欲望。

他取過童遙手中的畫具，正準備落筆的時候，地上的小鬼突然跳到他的肩頭上，還抓住了他的頭髮，把調色盤都打翻了。

童遙和童樂想把牠抱下來，淘氣的小鬼卻繼續搗亂，先是**左躲右閃**，然後四腿一伸，撲到前方的畫布上，把整個畫架都推跌了。

小鬼嗅了嗅腳下的畫布，把尾巴盤成一個圈，圍住自己的身體，然後**優哉游哉**地躺了下來。

牠的尾巴沾上了藍色和白色的油彩，變成了天然的貓毛畫筆，在畫布上掃出漩渦般旋轉的線條，巧合地跟梵高的原畫筆觸相似。

接著牠又用尾巴沾了點黃色的顏料，在畫布上繞了幾圈，化成一顆顆金光閃耀的星星。

「就是這樣了！」童遙指著畫布大叫。

「小鬼，你很有繪畫天分啊！」梵高看得**拍案叫絕**，「不過，可以請你稍移玉步嗎？」

聽到主人的稱讚後，小鬼露出**心滿意足**的表情，真的乖乖地給他抱起來。

多得小鬼的「**神來之筆**」，梵高頓時變得靈感澎湃。他索性收起了畫架，任由畫布攤在地上，直接在上面揮筆作畫。

當他偶然停下來，思考下一步該怎麼畫時，小鬼就好像很不耐煩，會踩到畫上行「貓步」，或伸手四處抓。

換了是從前的梵高，一定不肯讓人騷擾他作畫，此刻的他卻毫不介懷，只感到**如魚得水**、**其樂無窮**。

童遙等人從來沒想到，這幅曠世名作原來有兩名作者，一人一貓簡直就是「夢幻組合」。

這個晚上，他們親眼見證梵高與小鬼的「聯乘作品」誕生，時空旅程的任務也順利完成了！

名人小故事

梵高為了弟弟才割耳？

　　梵高自覺一生也得不到母親的疼愛，卻和比自己小四歲的弟弟西奧（Theodorus van Gogh）感情深厚。西奧在精神和金錢上一直支持著哥哥，每個月都會寄 150 法郎的生活費給他，有時更會送上畫具、顏料和參考書。梵高會將完成的畫作寄給弟弟，由他代為保存、整理和出售。

　　後來梵高割下自己的左耳，原因**眾說紛紜**，包括患上精神病、酗酒、與畫家好友高更爭吵等，但研究梵高的藝術專家拜利卻發現，事件極可能與西奧有關。據他推敲，西奧在那段時間正好決定跟熱戀中的情人閃婚，一心想與哥哥分享喜訊，沒想到反而為他帶來沉重的打擊。

　　原來梵高擔心弟弟婚後會跟自己疏遠，也怕他日後要養家，無法繼續提供經濟上的援助。不過，事實證明他是過慮了。西奧在成家立室後，依然對他關懷備至、不離不棄。兩年後梵高**奄奄一息**時，西奧馬上趕到他身邊，把哥哥擁在懷裡，陪他度過生命最後的時光，可說是守護了哥哥的一生。

第九回

畫世界的特快通道

　　童遙等人離開前，把行李中剩餘的七個「山前一丁」杯麵送給梵高，令梵高**心花怒放**。

　　「原來是來自二十一世紀的美食，我一定會很珍惜地吃。」他**珍而重之**地接過杯麵，問道：「你們覺得哪款最好吃？」

　　童樂覺得是「XO 醬海鮮風味」，童遙喜歡「神戶照燒牛肉味」，程子仁就最愛原裝的「麻油味」。

　　在梵高腳邊的小鬼嗅著杯麵的包裝，然後喵了一聲，似乎在說：也分一點給我吧！

　　「我從來沒甚麼朋友，能認識你們真好。」梵高搔了搔頭，有點腼腆地說：「謝謝友瀛小弟讓我想起當畫家的初衷，也謝謝元美妹妹把小鬼帶到我身邊。」

　　童遙瞄一眼程子仁，笑著說：「這裡唯獨你沒有貢獻！」

　　「我才是第一個發現小鬼的

人啊！」程子仁**怏怏不樂**地道。

「根本先生，我也要謝謝你。」梵高看到他一臉不滿，於是向他道謝：「你讓我發現刮光鬍子後，真的可以變年輕呢！」

難怪今天的梵高看起來**神采奕奕**，原來他把鬍子刮掉了，象徵要展開新的人生。

如今他有小鬼這頭「喵星人」相伴，畫畫不再是一件孤獨的事，生活亦不再寂寞，他有信心能畫出更出色的作品。

西奧看到哥哥跟他們相處融洽，展現**難能可貴**的笑臉，態度也緩和了不少，還跟童遙說：「謝謝你們跟我哥哥做朋友。」

臨別之前，梵高忽然叫住了童遙，一副**有口難言**的模樣。

童遙以為他捨不得自己，沒料到梵高竟然說：「你們……真的只有這幾個杯麵嗎？」

「這次真的沒有了。」童遙笑著擺擺手，忍不住小

聲跟弟弟道：「原來梵高先生跟你一樣，都是饞嘴鬼呢！」

再次跟梵高兄弟道別後，童遙步往壁爐的方向，程子仁卻叫住了她，指她走錯路了。

「你不是說從哪兒來，就從哪兒走嗎？」她不解地問。

「對啊！你想想自己從甚麼地方來？」他**故弄玄虛**地反問。

「就是這個大壁爐啊！」

程子仁搖搖頭，臉上閃過一抹狡猾的神色。

「我知道！是煙囪！」童樂興奮地搶答，指了指屋頂說：「我們是從那兒掉下來的。」

然而，當他們跟梵高借來梯子，**千辛萬苦**爬到屋頂上後，童樂已笑不出來，童遙也**面無血色**。

從這裡往下望，足足有兩層樓的高度，兩人早已雙腿發軟。童遙全身**寒毛直豎**，童樂的身體更抖得像秋天的落葉。

「程子仁，你是⋯⋯刻意戲弄我們吧？」童遙咬著嘴唇，聲音微微發顫。

相比很多同齡的女生，童遙的膽子算是很大，童媽媽經常形容她「吃了豹子膽」，可是其中一個弱點就是畏高。

每次去遊樂場，她都不會玩有離心力的機動遊戲，免得自己**大出洋相**。

「時光隧道需要合符一定的條件，這煙囪絕對是最好的選擇。」程子仁挑起一邊眉毛，「嗚嗚小弟，你不是說它比之前的通道舒適嗎？」

「我⋯⋯我是⋯⋯可是⋯⋯」童樂因為太害怕了，語音也變得含糊。

「跳下去就沒事了！」程子仁指向前方的煙囪，內裡漆黑一片，「就像上次跳進馬桶一樣，轉眼就會結束。」

「我⋯⋯跳⋯⋯不動⋯⋯嗚⋯⋯嗚⋯⋯」童樂一雙腿抖個不停，完全提不起來。

「要我助你一**臂之力**嗎?」程子仁笑著問他,拿出了時光機的搖控器。

童樂看不出他**笑裡藏刀**,於是點頭說好,程子仁馬上在他背後用力一推,他就這樣跌進黑壓壓的煙囪裡。

童遙看得**瞠目結舌**,急忙把頭探進煙囪裡張望,只見到深不見底的黑洞,看不到弟弟的身影。

程子仁已同步啟動了時光機的出入口,如無意外,童樂應該在「回家」的路上。

「小樂!」她**憂心忡忡**得快要哭出來,「程子仁!你幹嗎……」

她沒機會把話說完,屁股給人重重一踢,整個人失去重心,頭部朝下地摔進煙囪隧道。

一陣強烈的離心力襲向全身,童遙的身體急速下墜,在空中翻了好幾個筋斗,嚇得她**魂飛魄散**。

幸好這條通道算是很快捷,在她以為自己會暈死過去之前,「航班」終於順利抵達游路祥紀念小學的實驗室,她發現自己坐在出發時的紅色按摩椅上。

至於弟弟童樂和「機師」程子仁，也分別安坐在黃色和藍色的按摩椅上。

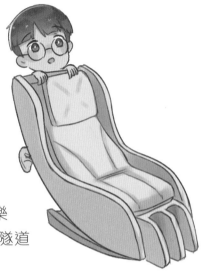

「遙遙、小樂！」童媽媽看到子女的身影終於出現，興奮地撲了過去。

「媽媽……嗚嗚……」童樂抱住媽媽的脖子撒嬌，「煙囪隧道……好可怕……」

童遙也是**驚魂未定**，但為免媽媽擔心，裝出鎮定的模樣問：「媽媽，你怎麼來接機了？」

童媽媽本來**不虞有詐**，以為兩人真的回學校補課，卻偶然在街上遇到童遙的同班同學姜小敏，揭穿了女兒的謊言。

她四處也找不到童遙兩姊弟，猜到事情可能跟時空遊學團有關，於是跑去找隊員之一的藍星宇，知道了一切的**來龍去脈**，於是悄悄來學校等他們回來。

「遙遙，對不起……」藍星宇露出抱歉的眼神。

「你真是**膽大包天**啊！」童媽媽緊握著女兒的手，「竟然三個小孩子跑去坐時光機，實在太危險了！」

「我們不小心撕破了你的畫，所以……」童遙打開背包，掏出用防水袋包好的畫作，「你看！這是梵高的真跡呢！」

「媽媽，生日快樂！」童樂親吻了她的額頭。

童媽媽接過那幅畫細看，心想：我是在做夢嗎？我手上的是梵高親筆畫的油畫！

她感到**難以置信**，看得**如癡如醉**，忽然指著其中一顆星星道：「咦！這個是……？」

之前他們急著離開，沒留意到某顆星星上，竟有著貓咪的肉球印，跟那天在牆上出現的**一模一樣**。

「噢！原來小鬼也在畫上簽名了！」童遙噗哧一笑。

「你們竟然叫梵高做小鬼？」童媽媽疑惑地問。

「不！小鬼是一頭貓咪，是梵高先生的『靈感貓神』……」童遙跟媽媽解釋了小鬼的故事。

回到家裡，童爸爸已準備了生日蛋糕，還送了一幅畫給妻子——是完整無缺的《星夜》！

「這幅畫不是給我們撕爛了嗎？」兩姊弟**異口同聲**。

「果然是你們幹的好事！」童爸爸眉頭一皺，「幸好我及時發現，買了一幅新的。」

「這麼容易就買到新的？」童遙有些意外，微微垂下了頭，「一定很貴吧？」

爸爸平日很節儉，他一定很愛媽媽，才會為她**一擲千金**，童遙覺得媽媽實在太幸福了。

「原價一百元，最近在做特價，八十元便有一幅了！」

「一百元？」姊弟兩人又是同聲高叫。

雖然他們知道那幅不是梵高的真跡，但心想複製畫的價錢也不便宜，才會拿著四百法郎的旅費找梵高買畫。

沒想到這幅畫只值一百元，幸好梵高沒有收取分毫，否則他們這次損失慘重。

「你在尋寶網上找人仿畫的吧？」童媽媽沒好氣地翻翻眼，「你真是個**不折不扣**的吝嗇鬼！」

「親愛的，**精打細算**是一項美德。」童爸爸望著妻子一笑，「遙遙、小樂，你們又準備了甚麼生日禮物給媽媽？」

童樂正想答話，童媽媽阻止了他，**煞有介事**地說：「這是我和孩子們的秘密，才不會告訴你。」

童爸爸一直認為時空旅行很危險，上次也是多得童媽媽幫忙隱瞞，童遙才能順利參加學校的遊學團。如果知道他們擅自坐時光機去找梵高，他一定會嚇得**心膽俱裂**。

因此，即使兩姊弟歷盡**千山萬水**，把梵高的畫

作帶了回家，也不能**光明正大**地展示給童爸爸看。

事實上，其他人不會相信這是梵高的真跡吧？加上那顆「貓肉球星星」，大家只會以為有人「惡搞」名畫。

深夜時分，累透了的童樂**酣然入夢**，童遙卻在床上**輾轉反側**，久久未能入睡，一直回想著這趟旅程的點滴。

她摸黑起床，從背包拿出一個防水袋，將裡頭的東西統統倒在床上。

那本來是梵高畫的「根本家族全家福」，現在都變成大大小小的布碎。幸好當時把它們撿拾起來，再用防水袋裝好，當成「紀念品」帶回現代。

她亮起了手機燈，在床上一邊玩「拼圖遊戲」，一邊回想當「模特兒」的時光，心裡**回味無窮**。

翌日早上，童樂發現睡房的牆上掛了一幅畫，布碎都用強力膠黏合起來，不過程子仁的臉變成了小豬圖案。

「姊姊，這是你畫的嗎？」童樂指著小豬的臉問。

「對啊！這部分剛好空了出來，我惟有自己畫。」

昨夜她發現缺了一塊布碎，**翻箱倒篋**也找不到，為免畫中出現礙眼的破洞，於是嘗試「補畫」程子仁的臉孔。

「小豬畫得好可愛呢！」童樂點點頭說。

「那不是豬，是人的嘴巴啦！」童遙輕輕拍打弟弟的頭頂，自嘲地笑道：「你知道我的畫風屬於印象派吧？」

「噢！我明白了！」童樂雙眼一亮，吃吃地笑道：「你刻意把子仁哥哥當成一頭豬，暗示你待他如『豬』如寶，哈哈！」

「你知道**如珠如寶**是甚麼意思嗎？」

「就是當成小豬寶寶一樣呵護備至吧？」

「那為何一定要是小豬？其他動物的寶寶不珍貴嗎？」童遙快要**忍俊不禁**。

「對啊！為甚麼呢？」童樂認真地思考起來，還反

問姊姊：「換成貓寶寶、狗寶寶和羊寶寶可以嗎？但我好像沒聽過如貓如寶……」

「小樂，你才是豬寶寶啊！」童遙再也忍不住，指著他**捧腹大笑**，「是珍珠的珠，不是小豬的豬呀！」

「我不理！總之子仁哥哥就是你的寶貝。」他淘氣地擠擠眼睛，「你是不是真的向他表白了？嘿嘿！」

「你別再**胡說八道**！否則我又將你丟進梵高家的煙囪！」她作勢要抓起弟弟的衣領。

「好啊！我很掛念小鬼呢！」

兩姊弟在房中你追我逐，你一言、我一語地抬槓，周日的早晨就在一片吵鬧聲中度過。

至於在家中打遊戲機的程子仁，就一連打了幾個噴嚏，他心想：到底是誰對我**朝思暮想**？

全書完・故事待續

描述 人物性格、 才智、膽量	頁數
冰雪聰明	19
不可一世	21
膽小如鼠	27
冷若冰霜	31
怪裡怪氣	34
粗心大意	36
一絲不苟	42
吹毛求疵	42
自作聰明	59
出類拔萃	65
喜怒無常	78
大智若愚	98
人小鬼大	108
聰明伶俐	116
彬彬有禮	120
笑裡藏刀	138
膽大包天	140

描述 動作	頁數
翩翩起舞	12
步履蹣跚	20
快手快腳	21
落荒而逃	29
逃之夭夭	30
東奔西竄	66
躡手躡腳	79
狼吞虎嚥	82
飛簷走壁	83
鮮蹦活跳	88
二話不說	90
鬼鬼祟祟	94
一掃而光	95
東奔西跑	95
慢條斯理	109
手舞足蹈	119
左躲右閃	128
翻箱倒篋	144

146

描述人物外貌			
	頁數		頁數
灰頭土臉	10	面如死灰	80
蓬頭垢面	18	邐邐迤迤	95
楚楚可憐	30	面目猙獰	111
風度翩翩	32	血流如注	112
瘦骨嶙峋	37	面無血色	136

描述開心、自信的反應			
	頁數		頁數
喜極而泣	15	歡天喜地	93
洋洋得意	18	興高采烈	95
自鳴得意	24	樂在其中	99
興趣盎然	47	如獲至寶	111
沾沾自喜	48	大喜過望	120
感激流涕	51	心悅神怡	126
喜不自勝	58	眉開眼笑	126
盛情難卻	61	拍案叫絕	130
欣喜若狂	64	心滿意足	130
雄心壯志	68	其樂無窮	130
得意忘形	73	心花怒放	134
意興盎然	74	神采奕奕	135
不亦樂乎	82	如癡如醉	140
搖頭晃腦	91	忍俊不禁	144
喜出望外	93	捧腹大笑	145

描述表情、眼神			
	頁數		頁數
相視而笑	21	怒目以視	81
木無表情	21	屏氣凝神	89
目不轉睛	36	似笑非笑	110
翹首以待	49	面面相覷	112

描述悲傷、害怕、生氣的反應			
	頁數		頁數
魂不附體	8	惴惴不安	76
惶恐不安	10	誠惶誠恐	78
哭喪著臉	11	怒氣沖沖	96
泣不成聲	11	呼天搶地	96
屁滾尿流	12	戰戰兢兢	97
手足無措	15	七孔生煙	116
大驚失色	29	忐忑不安	120
嚎啕大哭	30	怒不可遏	121
欲哭無淚	37	忿忿不平	121
滿腹牢騷	42	怏怏不樂	135
六神無主	59	瞠目結舌	138
忍無可忍	62	憂心忡忡	138
大吃一驚	65	魂飛魄散	138
大發雷霆	66	驚魂未定	139
餘悸猶存	66	心膽俱裂	142

描述人物精神狀態、舉止、行為

褒義	頁數	貶義	頁數
重新振作	14	負荊請罪	12
從容不迫	28	裝神弄鬼	15
從容自若	31	大模大樣	26
若無其事	33	老眼昏花	30
必恭必敬	58	坐立不安	31
返老還童	61	口是心非	34
有模有樣	78	頭暈目眩	42
如釋重負	79	睡眼惺忪	58
理直氣壯	81	嬉皮笑臉	62
老僧入定	84	聽而不聞	72
專心致志	90	明目張膽	82
聚精會神	90	視而不見	89
心無旁騖	90	急不可耐	90
一心一意	93	精疲力盡	93
一鼓作氣	101	大惑不解	94
望子成龍	116	似懂非懂	105
優哉游哉	128	張牙舞爪	105
		不知所措	108
		昏昏欲睡	109
		一頭霧水	126
		奄奄一息	132
		輾轉反側	143

描述事情發展、氣勢、處境			
褒義	頁數	貶義	頁數
不可多得	12	情非得已	33
似模似樣	14	露出馬腳	43
隆重登場	22	各不相讓	45
大有可為	33	食髓知味	52
名不虛傳	54	一波三折	55
大功告成	64	自投羅網	59
遙遙領先	76	翻來覆去	60
真相大白	110	騎虎難下	76
流芳百世	119	不知就裡	83
赫赫有名	124	愁雲慘霧	93
鼎鼎大名	124	本末倒置	99
神來之筆	130	變本加厲	113
光明正大	143	朝不保夕	116
中性	頁數	夜長夢多	119
從天而降	8	功虧一簣	121
無傷大雅	33	進退兩難	126
從頭到尾	36	蠢蠢欲動	128
將錯就錯	47	煞有介事	142
接二連三	49		
連珠炮發	54		
前因後果	124		
來龍去脈	139		

描述個人或事情的結果、評價、反應

褒義	頁數	貶義	頁數
熟能生巧	26	不堪設想	10
倒背如流	31	壯烈犧牲	11
深信不疑	45	後悔莫及	11
爐火純青	47	罪魁禍首	14
名副其實	50	不歡而散	26
差強人意	50	哭笑不得	28
望眼欲穿	52	東窗事發	29
理所當然	60	面有難色	48
神乎其技	64	不甘示弱	49
與眾不同	64	勉為其難	76
嘆為觀止	73	蕩然無存	77
刮目相看	74	自慚形穢	78
坐言起行	88	懷才不遇	97
甘拜下風	91	一事無成	97
出人頭地	99	啼笑皆非	99
另眼相看	105	人贓俱獲	112
人如其名	109	惹禍上身	112
自知之明	123	皮肉之苦	113
千真萬確	124	自欺欺人	114
回味無窮	143	張冠李戴	119
		不自量力	127
		大出洋相	137
		彌天大禍	封底

活學活用成語和四字詞

描述做事的手段、成效			
褒義	頁數	貶義	頁數
一舉兩得	12	恩將仇報	16
鼎力相助	16	白費唇舌	18
運籌帷幄	28	奸計得逞	31
急中生智	30	掉以輕心	43
小心翼翼	30	先斬後奏	61
相機行事	31	報仇雪恥	64
捷足先登	37	袖手旁觀	65
自給自足	39	造謠生事	108
頭頭是道	47	對牛彈琴	110
及時行樂	69	五馬分屍	114
名正言順	118	大費周章	122
一臂之力	138	胡作非為	122
精打細算	142	落井下石	127
將功補過	封底	故弄玄虛	136
中性	頁數	不虞有詐	139
不肯就範	16	胡說八道	145
軟硬兼施	17		
各就各位	28		
節衣縮食	98		
隨心所欲	98		
誤打誤撞	123		
眾說紛紜	132		
一擲千金	141		

153

描述物件、事情			
褒義	頁數	貶義	頁數
奇珍異寶	12	不明所以	27
活靈活現	64	開天殺價	34
千金難求	64	寂寂無聞	34
五顏六色	66	來歷不明	34
價值連城	67	死氣沉沉	35
易如反掌	72	乏人問津	35
完美無瑕	84	無中生有	44
琳瑯滿目	88	衣不稱身	61
五彩繽紛	88	亂作一團	96
無人不曉	97	支離破碎	96
栩栩如生	104	明日黃花	99
獨一無二	105	所費不貲	109
家喻戶曉	124	不知去向	121
無奇不有	124	空空如也	125
別具一格	128	不翼而飛	125
難能可貴	135	歪七扭八	127
如珠如寶	144		

中性	頁數
各式各樣	88
數之不盡	89
黑白分明	94
不可磨滅	114
一模一樣	140
不折不扣	142

描述 人物關係	頁數
感情甚篤	42
賓至如歸	46
手足之情	56
天作之合	61
樂也融融	62
心有靈犀	76
寸步不離	93
忽冷忽熱	113
相逢恨晚	118
形影不離	118
久別重逢	121
如魚得水	130

描述天氣、 環境、景物	頁數
烏雲密布	65
高聳入雲	125
千山萬水	142

描述距離、 時間、差別	頁數
近在咫尺	23
遙不可及	23
觸手可及	23
地老天荒	27
截然不同	35
日上三竿	58
雲泥之別	76
無窮無盡	123
大相逕庭	127

描述食物、 氣味、食慾	頁數
食指大動	45
豐衣足食	51
異香撲鼻	52
口水直流	52
津津有味	52

梵高畫作和信件圖片來源：

Vincent Willem van Gogh - Starry Night (P.23)
https://commons.wikimedia.org/wiki/File:Van_Gogh_-_Starry_Night_-_
Google_Art_Project.jpg

Vincent Willem van Gogh - The Potato Eaters (P.38)
https://commons.wikimedia.org/wiki/File:Van-willem-vincent-gogh-die-
kartoffelesser-03850.jpg

Vincent Willem van Gogh - Red vineyards (P.55)
https://commons.wikimedia.org/wiki/File:Red_vineyards.jpg

Vincent Willem van Gogh - Letter to John Peter Russell (P.56)
https://commons.wikimedia.org/wiki/File:GUGG_Letter_to_John_Peter_
Russell.jpg

Vincent Willem van Gogh - la courtisane (P.69)
https://commons.wikimedia.org/wiki/File:Van_Gogh_-_la_courtisane.jpg

Vincent Willem van Gogh - Portrait of Pere Tanguy (P.70)
https://commons.wikimedia.org/wiki/File:Van_Gogh_-_Portrait_of_Pere_
Tanguy_1887-8.JPG

Vincent Willem van Gogh - De slaapkamer (P.85)
https://commons.wikimedia.org/wiki/File:Vincent_van_Gogh_-_De_
slaapkamer_-_Google_Art_Project.jpg

Vincent Willem van Gogh - The yellow house (P.86)
https://commons.wikimedia.org/wiki/File:Vincent_van_Gogh_-_The_yellow_house_(%27The_street%27).jpg

Vincent Willem van Gogh - Sunflowers (P.100)
https://commons.wikimedia.org/wiki/File:Vincent_Willem_van_Gogh_127.jpg

Vincent Willem van Gogh - Irises (P.106)
https://commons.wikimedia.org/wiki/File:Vincent_van_Gogh_-_Irises_-_Google_Art_Project.jpg

Vincent Willem van Gogh - Cafe Terrace at Night (P.118)
https://commons.wikimedia.org/wiki/File:Vincent_Willem_van_Gogh_-_Cafe_Terrace_at_Night_(Yorck).jpg

Vincent Willem van Gogh - Starry Night Over the Rhône (P.122)
https://commons.wikimedia.org/wiki/File:Starry_Night_Over_the_Rhone.jpg

Vincent Willem van Gogh - Self-portrait with bandaged ear (P.131)
https://commons.wikimedia.org/wiki/File:Vincent_van_Gogh_-_Self-portrait_with_bandaged_ear_(1889,_Courtauld_Institute).jpg

齊來做畫家！填上顏色，盡情塗畫吧！

作者	唐希文
總編輯	葉海旋
編輯	李小媚
助理編輯	葉柔柔
封面及內文插畫	zaak6naam4
書籍設計	Tsuiyip@TakeEverythingEasy Design Studio

出版	花千樹出版有限公司
地址	九龍深水埗元州街 290-296 號 1104 室
電郵	info@arcadiapress.com.hk
網址	www.arcadiapress.com.hk

印刷	美雅印刷製本有限公司
初版	2020 年 4 月
ISBN	978-988-8484-55-3